Prüfungstraining

DSD Stufe 1

Deutsches Sprachdiplom
der Kultusministerkonferenz

von Jürgen Weigmann

Neue Ausgabe
nach neuer Prüfungsordnung

Dieses Buch gibt es auch auf
www.scook.de/eb
yory9-dehbp

Cornelsen

Prüfungstraining
Deutsches Sprachdiplom der Kultusministerkonferenz
DSD Stufe 1

Im Auftrag des Verlages erarbeitet von Jürgen Weigmann

Lektorat: Friederike Jin, Katrin Rebitzki
Projektleitung: Gertrud Deutz

Fachberatung: Carola Heine, Uli Lohrbach

Illustrationen: Andreas Terglane
Umschlaggestaltung: hawemannundmosch, bureau für gestaltung, Berlin
Layout und technische Umsetzung: Andrea Päch, Berlin

Textquellen: Seite 21, © Radio Bremen

Weitere Hinweise zur Arbeit mit dem Prüfungstraining online unter: www.cornelsen.de/daf-dsd.

Symbole
Hörtext auf CD

www.cornelsen.de

Die Webseiten Dritter, deren Internetadressen in diesem Lehrwerk angegeben sind,
wurden vor Drucklegung sorgfältig geprüft. Der Verlag übernimmt keine Gewähr für
die Aktualität und den Inhalt dieser Seiten oder solcher, die mit ihnen verlinkt sind.

1. Auflage, 2. Druck 2018

Alle Drucke dieser Auflage sind inhaltlich unverändert und können im Unterricht nebeneinander
verwendet werden.

© 2015 Cornelsen Schulverlage GmbH, Berlin
© 2018 Cornelsen Verlag GmbH, Berlin

Druck: H. Heenemann, Berlin

ISBN 978-3-06-022899-7

PEFC zertifiziert
Dieses Produkt stammt aus nachhaltig
bewirtschafteten Wäldern und kontrollierten
Quellen.

www.pefc.de

PEFC/04-31-1156

Liebe Prüfungskandidatinnen und Prüfungskandidaten, liebe Lehrerinnen und Lehrer,

das vorliegende **Prüfungstraining DSD Stufe 1** dient der gezielten Prüfungsvorbereitung auf das **Deutsche Sprachdiplom der Kultusministerkonferenz, Niveaustufe A2/B1 (DSD Stufe 1)**.

Der Prüfungstrainer besteht aus drei Trainingsphasen: Basistraining, Powertraining und Abschluss-training. Jede Phase enthält einen kompletten Übungstest. Die Tests entsprechen in Aufbau und Sprach-niveau der DSD-Prüfung. Zu den Tests gibt es zwei CDs mit den Texten zum Hörverstehen und mit Bei-spielen für mündliche Prüfungen.

Als Prüfungskandidat/in können Sie das Buch allein durcharbeiten. Sie werden dabei Schritt für Schritt alle Teile der Prüfung kennenlernen und intensiv bearbeiten, die Aufgaben lösen und Ihre Antworten im Lösungsschlüssel überprüfen.

Als Lehrer/in können Sie das Prüfungstraining in Ihrem Unterricht zur gezielten Vorbereitung der Schülerinnen und Schüler auf das DSD 1 einsetzen.

Im Einzelnen erfahren Sie,

- wie die Prüfung aufgebaut ist,

- wie sie abläuft,

- wie viele Punkte in jedem Teil erreicht werden können,

- was in jedem Prüfungsteil verlangt wird,

- wie die Aufgaben zu bearbeiten sind,

- wie man mit den Aufgaben am besten umgeht und

- worauf man ganz besonders aufpassen muss.

Zu allen Prüfungsteilen bekommen Sie als Prüfungskandidat/in außerdem wichtige Informationen darüber,

- wie Sie sich die Zeit sinnvoll einteilen können,

- wie Sie sich auf die Prüfungssituation vorbereiten können und

- wie Sie sich vor und während der Prüfung am besten verhalten.

Außerdem finden Sie online unter **www.cornelsen.de/daf-dsd** einen Modelltest sowie weitere Hinweise zur Arbeit mit dem Prüfungstraining.

Verlag und Autor wünschen Ihnen viel Spaß bei der Vorbereitung mit unserem Trainingsprogramm und natürlich viel Erfolg in der richtigen Prüfung!

Inhalt

Inhalt

Wie ist das Trainingsprogramm aufgebaut?

Das Trainingsprogramm hat drei Teile. Wir nennen sie Phasen:

Phase 1: Basistraining mit Übungstest 1
Phase 2: Powertraining mit Übungstest 2
Phase 3: Abschlusstraining mit Übungstest 3

Wie viel Zeit brauche ich für das ganze Programm?

Wenn du das Buch alleine durcharbeitest, solltest du dir einen Zeitplan machen. Nur so bist du sicher, dass du auch alles rechtzeitig schaffst.

Die Teile *Leseverstehen* und *Hörverstehen* kannst du relativ schnell durcharbeiten. Dafür brauchst du etwa sechs Wochen, wenn du in jeder Woche ungefähr zwei Stunden mit dem Prüfungstraining arbeitest.

Für die Vorbereitung auf die mündliche Prüfung brauchst du sehr viel mehr Zeit. Deswegen solltest du dir das Basistraining zur *Mündlichen Kommunikation* schon einmal anschauen, bevor du mit deinem Lehrer / deiner Lehrerin das Thema besprichst und festlegst, also ungefähr ein halbes Jahr vor der richtigen Prüfung.

Bei der schriftlichen Prüfung geht es hier im Prüfungstraining hauptsächlich um Strategien, wie du die Prüfungsaufgaben am besten bearbeiten kannst. Dafür brauchst du nur ein paar Stunden. In der Prüfung geht es aber auch um die sprachliche Richtigkeit. Und du weißt ja aus Erfahrung, dass man dazu einige Zeit braucht. Deswegen solltest du möglichst bald mit deinem Lehrer / deiner Lehrerin darüber sprechen, was du zur Verbesserung der Sprachrichtigkeit für das Sprachdiplom noch tun kannst.

Wenn ihr das Programm in der Schule mit dem Lehrer durchnehmt, brauchst du dir um die Einteilung der Zeit keine Gedanken zu machen.

Was passiert in den drei Trainingsphasen?

Eine ganze Menge. Und damit es nicht langweilig wird, ist jede Phase etwas anders aufgebaut. Beim Sport macht man ja auch nicht immer dieselben Übungen!

Phase 1: Basistraining mit Übungstest 1

In der ersten Trainingsphase lernst du eine vollständige Prüfung kennen. Das ist der Übungstest 1. In jedem Prüfungsteil findest du wichtige Erläuterungen zu den einzelnen Aufgaben. So lernst du die wichtigsten Arbeitsphasen in kleinen Schritten kennen und kannst die notwendigen Strategien entwickeln, um ein möglichst gutes Ergebnis zu erzielen. Einige wichtige Informationen werden in MEMOs in der Form von Notizzetteln am Rand des Textes zusammengefasst.

Phase 2: Powertraining mit Übungstest 2

Im *Leseverstehen* und *Hörverstehen* lernst du vor allem, die Arbeitsschritte und MEMOs auf einen neuen Test anzuwenden.

In der *Mündlichen Kommunikation* und der *Schriftlichen Kommunikation* wirst du Beispiele aus richtigen Prüfungen hören bzw. lesen und dann analysieren. Du lernst dabei, wie eine Prüfung abläuft und worauf du achten musst, um Fehler zu vermeiden.

Phase 3: Abschlusstraining mit Übungstest 3

Im *Leseverstehen* machst du den Übungstest 3 und achtest besonders auch auf deine individuelle Arbeitszeit in den einzelnen Prüfungsteilen. Dabei lernst du auch, die Gesamtzeit einzuhalten. Außerdem kannst du im Abschlusstraining die vorgeschlagenen Arbeitsschritte für dich selbst optimieren und lernst, das Antwortblatt am Ende des Prüfungsteils richtig auszufüllen.

Im *Hörverstehen* kannst du herausfinden, welche Teile und/oder Schritte dir vielleicht noch Schwierigkeiten bereiten. Du kannst dir die Erklärungen dazu im Basistraining dann noch einmal durchlesen. Auch im *Hörverstehen* lernst du, das Antwortblatt auszufüllen.

In der *Mündlichen Kommunikation* hörst du Fragen für das einführende Gespräch von der CD und übst deine eigenen Antworten. Außerdem bereitest du dein eigenes Referat für die richtige Prüfung vor.

In der *Schriftlichen Kommunikation* bearbeitest du eine komplette Prüfungsaufgabe mithilfe der gelernten Strategien. In diesem Teil achtest du auch besonders auf deine Zeiteinteilung.

Wenn du alle drei Phasen durchgearbeitet hast, kannst du einen Probetest machen. Du findest ihn mit den Audiodateien für die Hörtexte im Internet unter www.cornelsen.de/daf-dsd. Diesen Test solltest du wie in der richtigen Prüfung durcharbeiten.

Wie arbeite ich mit dem Prüfungstraining?

Wenn du alleine mit dem Buch arbeitest, kannst du dich an folgenden Zeiten für den Prüfungstrainer orientieren:

Ein halbes Jahr vor der Prüfung → *Mündliche* und *Schriftliche Kommunikation* (Phase 1 bis 3)

Drei Monate vor der Prüfung → *Leseverstehen* und *Hörverstehen* (Phase 1 bis 3)

Direkt vor der Prüfung → Probetest

Leseverstehen: Übersicht

Der Prüfungsteil *Leseverstehen* besteht aus fünf verschiedenen Teilen. Für die Bearbeitung des gesamten Prüfungsteils hast du insgesamt 60 Minuten Zeit. Anschließend bekommst du noch zehn Minuten, um die Lösungen in das Antwortblatt zu übertragen.

Du kannst selbst entscheiden, wie viel Zeit du dir für jeden einzelnen Prüfungsteil nehmen willst. In der Tabelle unten stehen ungefähre Zeiten zu deiner Orientierung. Du musst selbst ausprobieren, wie viel Zeit du für die einzelnen Teile tatsächlich brauchst.

Für alle fünf Teile zusammen kannst du maximal 24 Punkte bekommen.

	Text	Aufgabentyp	Punkte	Zeit
Teil 1	ein Sachtext (100–130 Wörter) als Lückentext	Wörter aus einer Wörterliste in einen Lückentext ergänzen und dann eine Überschrift für den Text auswählen	5 Punkte	ungefähr 10 Minuten
Teil 2	8 Kurztexte, z. B. Anzeigen, Broschüren, Kurzporträts, E-Mails o. Ä.	die Kurztexte verschiedenen Personen oder Situationen zuordnen	4 Punkte	ungefähr 15 Minuten
Teil 3	ein Sachtext (200–220 Wörter), z. B. aus dem Internet, aus einer Zeitschrift oder aus Büchern	Richtig-falsch-Aufgaben	5 Punkte	ungefähr 10 Minuten
Teil 4	ein narrativer Text (ca. 300 Wörter), z. B. aus einer Zeitung, aus dem Internet, ein persönlicher Brief o. Ä.	Multiple-Choice-Aufgaben mit drei Optionen	6 Punkte	ungefähr 20 Minuten
Teil 5	4 kurze Sachtexte (je 60–80 Wörter), z. B. aus Zeitschriften, Broschüren o. Ä.	Überschriften zuordnen	4 Punkte	ungefähr 5 Minuten

Teil 1

Du findest unten einen kurzen Lesetext. Der Text hat vier Lücken (Aufgaben 1–4). Setze aus der Wortliste (A – H) das richtige Wort in jede Lücke ein. Einige Wörter bleiben übrig.

Aufgabe jetzt noch nicht lösen, erst das Basistraining auf Seite 10 – 13 bearbeiten!

Wortliste

| (A) besuchen – (B) Stunden – (C) gern – (D) kaufe – |
| (E) Wochen – (F) möchte – (G) leben – (H) sehr – (Z) Weg |

Welches Wort passt in welche Lücke?
Schreibe den Buchstaben des Wortes in die Lücke.

Pünktlich um sieben ist die ganze Klasse am Bahnhof und zehn Minuten später schon auf dem

(0) __Z__ nach Berlin. Die Stadt ist ziemlich groß. Über drei Millionen Menschen (1) __G__ heute in

Berlin. Nach der Ankunft am neuen Hauptbahnhof besuchen wir zuerst das Regierungsviertel. Viel Glas

und Beton, aber kein bekannter Politiker ist zu sehen. Vor dem Reichstag stehen Tausende von

Touristen. Wir müssen zwei (2) __B__ Schlange stehen, bis wir endlich hineingehen dürfen. Danach

geht es zum „Haus der Kulturen". Nichts für uns: nur langweilige Ausstellungen. Also machen wir eine

Schiffsfahrt auf der Spree. Die Spree fließt mitten durch Berlin. Auf dem Schiff (3) __D__ ich mir eine

Currywurst. Die schmeckt richtig gut. Abends geht es zurück nach Hause. Wir sind alle (4) __H__

müde. Trotzdem: ein spannender Tag.

Achtung!
Wähle jetzt noch eine passende Überschrift zum Text aus!

Aufgabe 5: Welche Überschrift passt am besten zum Text? Kreuze an.

A ☐ Die Sehenswürdigkeiten von Berlin

B ☒ Ein Schulausflug nach Berlin

C ☐ Eine Schiffsfahrt in Berlin

Leseverstehen Teil 1: Basistraining

In diesem Prüfungsteil musst du fünf Aufgaben lösen. Bei den Aufgaben 1–4 musst du entscheiden, welche Wörter aus der Wortliste in den Lückentext passen. Bei Aufgabe 5 musst du eine passende Überschrift zu diesem Text auswählen.

👣 Schritt 1: Schau dir kurz die Wortliste an.

Schau dir die Wörter in der Wortliste kurz an. Die meisten wirst du sofort verstehen. Wenn du ein Wort nicht verstehst, verliere keine Zeit und gehe zum nächsten Schritt.

Hinter (Z) steht das Beispielwort.

> Wortliste
>
> (A) besuchen – (B) Stunden – (C) gern – (D) kaufe –
>
> (E) Wochen – (F) möchte – (G) leben – (H) sehr – (Z) Weg

👣 Schritt 2: Lies den Textanfang mit dem Beispielwort.

Lies die ersten Sätze, in denen das Beispielwort (Z) vorkommt. Danach weißt du meistens schon, worum es in dem Text geht. Streiche das Beispielwort durch.

> **MEMO**_____
>
> *Beispielwort in der Wortliste durchstreichen.*

Übung 1

Lies die ersten zwei Sätze. Worum geht es in dem Text wahrscheinlich? Notiere.

> Pünktlich um sieben ist die ganze Klasse am Bahnhof und zehn Minuten später schon auf
>
> dem __Z__ nach Berlin. Die Stadt ist ziemlich groß.

👣 Schritt 3: Finde zu jeder Lücke das passende Wort.

Lies den Text langsam und mit Konzentration durch. Wenn du an eine Lücke kommst, lies weiter bis zum Satzende. Versuche dabei, Sinn und Inhalt des Satzes zu verstehen. Oft ist dein Sprachgefühl so gut, dass du das passende Wort schon beim ersten Lesen erraten kannst. Manchmal erinnerst du dich auch an ein Wort aus der Wortliste.

Wenn du glaubst, dass ein Wort passt, suche es in der Wortliste (Schritt 4). Wenn du es findest, trage seinen Buchstaben sofort in die Lücke im Text ein.

Markiere die Wörter oder Buchstaben, die du eingesetzt hast, mit einem Häkchen.

Wenn du das gesuchte Wort nicht findest, schau dich kurz in der Wortliste um. Vielleicht gibt es ein anderes Wort, das passt. Setze es zur Probe in die Lücke ein. Achte wieder auf dein Sprachgefühl. Wenn auch dieses Wort nicht passt, kannst du es später noch einmal versuchen. Lass die Lücke frei, mache am Rand ein Fragezeichen, und lies weiter im Text.

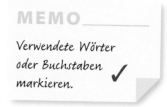

MEMO

Verwendete Wörter oder Buchstaben markieren. ✔

Übung 2

Gehe zum Übungstest auf Seite 9. Ergänze die Wörter oder mach ein Fragezeichen am Rand.

Schritt 4: Überprüfe jedes eingesetzte Wort.

Zur Kontrolle kannst du dir einen Satz mit dem eingesetzten Wort leise selbst vorlesen. Meistens merkst du dabei, ob der Satz richtig klingt. Achte auf die Endungen und den Satzbau. So kannst du die Wörter systematisch kontrollieren und feststellen, ob Wortart, Endung und Satzbau passen.

Übung 3

a   **Welche Wortart passt hier? Kreuze an.**

> Über drei Millionen Menschen (1) _____ heute in Berlin.

☐ Nomen   ☐ Verb   ☐ Adjektiv   ☐ Adverb

b   **Such in der Wortliste alle Wörter dieser Wortart und notiere sie.**

c   **Von diesen Wörtern haben nur zwei die passende Endung. Welche? Notiere sie.**

Um herauszufinden, welches von den beiden Wörtern passt, musst du den Satz noch einmal genau durchlesen. Achte dabei auf jedes Wort im Satz.

d   **Welches Wörtchen ist für die Lösung besonders wichtig? Unterstreiche das Wort.**

Ganz ähnlich ist das in der folgenden Übung. Zwei Verben können passen, weil sie die richtige Endung haben.

Übung 4

a   **Welches Verb passt? Kreuze an.**

> Auf dem Schiff (3) _____ ich mir eine Currywurst.

☐ (D) kaufe   ☐ (F) möchte

b   **Welches Wörtchen ist für die Lösung besonders wichtig? Unterstreiche es.**

Wenn du unsicher bist, lies auch die Sätze vor und nach der Lücke noch einmal genau. Dort findest du oft Hinweise, die zeigen, welches Wort passt. Wenn du auch dann keine Lösung findest, halte dich nicht zu lange bei einer Aufgabe auf. Lass die Lücke leer, mach am Rand ein Fragezeichen, und gehe zum nächsten Satz.

Übung 5

Gehe zum Übungstest auf Seite 9 und kontrolliere die eingesetzten Wörter nach Wortart, Endung, Satzbau und Bedeutung. Begründe deine Entscheidung.

Wenn du den ganzen Text durchgearbeitet hast, schau dir noch einmal die Aufgaben an, bei denen du nicht sicher warst und ein Fragezeichen gemacht hast. Manchmal ist es leichter, eine Aufgabe zu lösen, wenn du inzwischen etwas anderes gemacht hast. Außerdem ist die Wortliste jetzt schon viel kürzer.

Auch wenn du dir nicht ganz sicher bist, fülle alle Lücken aus. Das ist besser, als gar keinen Buchstaben einzutragen. Vielleicht hast du ja Glück und es ist der richtige Buchstabe. Wenn du nichts einträgst, hast du diese Chance verpasst.

MEMO_____

Alle Lücken füllen, keine Lücke leer lassen.

Schritt 5: Kontrolliere alle Lösungen.

Wenn du alle Lücken gefüllt hast, überprüfe dein Ergebnis:

Lies den ganzen Text noch einmal leise für dich und überprüfe die eingetragenen Buchstaben und Wörter.

- Hört sich alles richtig an?
- Stimmt die Bedeutung des Textes?
- Stimmen die Endungen, die Wortart und der Satzbau?
- Passen Buchstabe und Wort zueinander?
- Hast du jeden Buchstaben nur einmal verwendet?
- Hast du alle Lücken gefüllt?

Schritt 6: Bestimme die richtige Überschrift.

Achtung! Nachdem du die Aufgaben 1–4 beendet hast, musst du in Aufgabe 5 noch eine Überschrift für den Text finden. Du hast drei Überschriften zur Wahl. Nur eine Überschrift ist ganz richtig. Das heißt, sie passt zum ganzen Text. Vielleicht kennst du den Text schon so gut, dass du die richtige Überschrift beim ersten Lesen erkennst. Dann kreuze sie an.

MEMO_____

Wichtige Wörter in den Überschriften unterstreichen.

Wenn nicht, musst du herausfinden, was das Wichtigste am Text ist. Unterstreiche dazu die wichtigen Wörter in A, B und C und ergänze „NUR/VOR ALLEM". Wenn du jetzt den Text mit den Überschriften vergleichst, kannst du leicht erkennen, was wirklich das Wichtigste im Text ist.

MEMO_____

Bei A, B und C immer „NUR/VOR ALLEM" ergänzen.

Übung 6

Ergänze die fehlenden Überschriften. Unterstreiche die wichtigen Wörter und prüfe dann im Text nach, welche der drei Aussagen stimmt.

In dem Text geht es NUR / VOR ALLEM *um die Sehenswürdigkeiten in Berlin.*

In dem Text geht es NUR / VOR ALLEM _____ .

In dem Text geht es NUR / VOR ALLEM _____ .

Die wichtigen Wörter zeigen dir, worauf es ankommt. Aber aufpassen: Einzelne Wörter, die in den Überschriften und im Text gleich sind, können eine Falle sein. Die passende Aussage wird oft mit anderen Worten umschrieben.

Teil 2

*Aufgabe jetzt noch nicht
lösen, erst das Basis-
training bearbeiten!*

Auf der nächsten Seite findest du acht kurze E-Mails von Schülern.

Lies die Aufgaben (6 – 9) und die E-Mails (A – H).

Wer hat die E-Mail geschrieben?

Schreibe den richtigen Buchstaben (A – H) in die rechte Spalte.

Du kannst jeden Buchstaben nur einmal wählen.
Vier Buchstaben bleiben übrig.

E-Mails von Schülern

Aufgaben 6 – 9

0	**Beispiel:** Markus hat eine Mathearbeit geschrieben. Mit einigen Aufgaben hatte er Schwierigkeiten.	Z
6	Saskia lädt alle Freunde zu einem Gartenfest ein. Sie hat Geburtstag.	
7	Tobias geht es nicht gut. Er kann deshalb nicht zum Klavierunterricht kommen.	
8	Lisa hat Angst vor der Führerscheinprüfung.	
9	Thomas bedankt sich für das Gartenfest, das ihm sehr gut gefallen hat.	

Z	Hallo, …, und wie war es heute bei dir? Bei mir war es nicht gut, ich konnte nur die Hälfte der Aufgaben lösen. Vor allem die letzte habe ich nicht verstanden. Ich bin mit dem vielen Rechnen einfach nicht klargekommen. Und du? Schreib mal kurz!
A	Hallo, Freunde, ich hoffe, ihr könnt am Freitag alle zu mir kommen. Ihr wisst ja, ich werde 16. Es gibt auch etwas zum Essen und Trinken, und wir feiern in unserem Garten. Wann? Ab 18 Uhr. Bitte ruft vorher an. Ich freue mich auf euch.
B	Hallo, …, vielen Dank, das war super: Tolles Wetter, warmes Wasser, und die Grillwürstchen waren erste Klasse. Am liebsten würde ich morgen gleich wieder mit dir zum Schwimmen gehen. Ich muss aber für Mathe lernen. Ich rufe dich morgen an!
C	Hallo, Miriam, morgen ist die Prüfung, aber ich habe immer noch Probleme. Der Verkehr in der Stadt macht mich einfach nervös – auch nach 30 Fahrstunden. Und mein Lehrer meckert die ganze Zeit. Drück mir bitte die Daumen. Bis Montag
D	Liebe Frau …, gestern konnte ich leider nicht kommen. Ich hätte ihren Vortrag wirklich gerne gehört. Aber leider hatte ich keine Zeit. Ich habe morgen Führerscheinprüfung und musste noch zwei Fahrstunden machen. Beste Grüße
E	Hi, …, das war ein tolles Fest. Gute Musik, gutes Essen (die Grillwürstchen waren super) und lauter nette Mädchen. – Vielen Dank auch an deine Eltern. Tanzen im Grünen zwischen Blumen und Bäumen – mal was anderes. Herzliche Grüße
F	Liebe Frau …, leider kann ich heute nicht kommen. Mir geht es nicht besonders gut. Vielleicht waren es die Würstchen beim Gartenfest gestern Abend. Ich weiß es nicht. Nächste Woche geht es bestimmt wieder. Lieben Gruß
G	Hallo, alle, endlich geschafft! Ich hatte zwar ziemlich Angst, aber der Prüfer war nett und ich habe eigentlich alles gewusst. Na ja, die Note weiß ich noch nicht, aber wenigstens bin ich nicht durchgefallen. Ihr hört wieder von mir.
H	Liebe Mama, mach dir keine Sorgen. Die Prüfung war zwar ziemlich schwer, aber ich glaube, ich habe das meiste gewusst. Mit Mathe habe ich ja keine großen Probleme (bis jetzt!!!). Morgen rufe ich dich an.

Leseverstehen Teil 2: Basistraining

In den Aufgaben 6–9 musst du herausfinden, welche E-Mail zu welcher Person passt.

👣 Schritt 1: Markiere die wichtigen Informationen in den Situationen.

Schau dir kurz das Beispiel (0) und den Text (Z) an. Das Beispiel erinnert dich daran, was du machen musst. Verliere keine Zeit mit dem Beispiel.

Lies dann die Situationen (Aufgabe 6–9) nacheinander durch und unterstreiche die wichtigen Informationen. Sie stecken in den Schlüsselwörtern wie in dem folgenden Beispiel:

> **6** Saskia lädt alle Freunde zu einem Gartenfest ein. Sie hat Geburtstag.

Diese Wörter sind die Schlüsselwörter. Du brauchst sie, um später den passenden Text zu finden.

In den kurzen Situationsbeschreibungen sind die Schlüsselwörter meistens Nomen. Sehr oft ist auch das Verb wichtig und manchmal auch die Negation. Deswegen ist es sinnvoll, alle wichtigen Informationen genau zu markieren. Am besten ist es, die Schlüsselwörter zu unterstreichen und die anderen wichtigen Wörter einzukreisen wie in dem folgenden Beispiel:

MEMO_____

Die Schlüsselwörter sind meistens Nomen und Verben. Auch auf Negationen achten.

> **7** Tobias geht es (nicht) gut. Er kann deshalb (nicht) zum Klavierunterricht kommen.

MEMO_____

Schlüsselwörter unterstreichen, wichtige andere Wörter einkreisen.

Übung 1

Gehe zum Übungstest auf Seite 14/15 und markiere die wichtigen Informationen in den Aufgaben.

👣 Schritt 2: Markiere die wichtigen Informationen in Text A.

Nachdem du die wichtigen Informationen in den Situationen (Aufgaben 6–9) unterstrichen hast, lies Text (A) und unterstreiche auch dort alle wichtigen Informationen. Lies die anderen Texte noch nicht.

Übung 2

Unterstreiche in Text A alle wichtigen Informationen.

> **A** Hallo, Freunde,
> ich hoffe, ihr könnt am Freitag alle zu mir kommen. Ihr wisst ja, ich werde 16. Es gibt auch
> etwas zum Essen und Trinken, und wir feiern in unserem Garten. Wann? Ab 18 Uhr.
> Bitte ruft vorher an. Ich freue mich auf euch.

Wenn Text A Informationen enthält, die dich an eine der Aufgaben 6 – 9 erinnern, suche die passende
Situation (Schritt 3). Wenn du ganz sicher bist, dass es in Text A keine Informationen gibt, die zu den
Aufgaben 6 – 9 passen, streiche den Text durch. Gehe dann gleich zum nächsten Text und bearbeite
ihn wie in Schritt 4 beschrieben.

Wenn du unsicher bist, mach ein Fragezeichen neben den Text.

🐾 Schritt 3: Finde die passende Situation zu Text A.

Um die passende Situation zu finden, musst du Text A mit den Situationen 6 – 9 vergleichen. Wenn
du eine Situation findest, in der ähnliche Informationen wie in Text A vorkommen, schreibe den Buchstaben des Textes sofort neben die Situation. Schreibe ihn aber noch nicht in das Kästchen!

Übung 3

**Zu welcher Situation (6 – 9) könnte Text A passen? Schreibe den Buchstaben des Textes neben die
Situation, aber noch nicht in das Kästchen.**

> **A** Hallo, Freunde,
> ich hoffe, ihr könnt am Freitag alle zu mir kommen. Ihr wisst ja, ich werde 16. Es gibt auch
> etwas zum Essen und Trinken, und wir feiern in unserem Garten. Wann? Ab 18 Uhr.
> Bitte ruft vorher an. Ich freue mich auf euch.

6	Saskia lädt alle Freunde zu einem Gartenfest ein. Sie hat Geburtstag.	
7	Tobias geht es nicht gut. Er kann deshalb nicht zum Klavierunterricht kommen.	
8	Lisa hat Angst vor der Führerscheinprüfung.	
9	Thomas bedankt sich für das Gartenfest, das ihm sehr gut gefallen hat.	

Du hast sicher bemerkt, dass Aufgabe 6 ähnliche Informationen enthält wie Text A. Schau dir diese
Ähnlichkeiten genauer an.

Übung 4

Notiere die Informationen, die in Aufgabe 6 und Text A ähnlich sind.

Schlüsselwörter in Aufgabe 6:	Ähnliche Informationen in Text A:
Freunde	*Hallo, Freunde*
alle … einladen	
Gartenfest	
Geburtstag	

Die Übereinstimmungen zwischen Text A und Situation 6 sind sehr groß. Es ist daher wahrscheinlich, dass Text A und Situation 6 zusammenpassen.

👣 Schritt 4: Bearbeite die folgenden Texte wie in Schritt 2 und 3.

In diesem Prüfungsteil ist es wichtig, dass du von den Texten ausgehst und nach passenden Situationen suchst. Wenn du zuerst den Text liest und dann nach einer passenden Situation suchst, musst du nicht so viel lesen, denn die Situationsbeschreibungen sind meistens kurz.

> **MEMO**_____
>
> *Erst den Text lesen, dann die passende Situation suchen!*

Übung 5

a   Unterstreiche in den folgenden Texten die wichtigen Informationen.

> **B**   Hallo, …,
> vielen Dank, das war super: Tolles Wetter, warmes Wasser, und die Grillwürstchen waren erste Klasse. Am liebsten würde ich morgen gleich wieder mit dir zum Schwimmen gehen. Ich muss aber für Mathe lernen. Ich rufe dich morgen an!
>
> **E**   Hi, …,
> das war ein tolles Fest. Gute Musik, gutes Essen (die Grillwürstchen waren super) und lauter nette Mädchen. – Vielen Dank auch an deine Eltern. Tanzen im Grünen zwischen Blumen und Bäumen – mal was anderes.
> Herzliche Grüße

b Zu welcher Situation könnten die beiden Texte passen? Schreibe die Buchstaben neben die Situationen, aber noch nicht in die Kästchen.

6	Saskia lädt alle Freunde zu einem Gartenfest ein. Sie hat Geburtstag.	A
7	Tobias geht es nicht gut. Er kann deshalb nicht zum Klavierunterricht kommen.	
8	Lisa hat Angst vor der Führerscheinprüfung.	
9	Thomas bedankt sich für das Gartenfest, das ihm sehr gut gefallen hat.	

Du hast sicher festgestellt, dass beide Texte zu Situation 9 passen könnten. So etwas kommt häufig vor. In so einem Fall musst du entscheiden, welcher Text besser passt.

Wenn du sicher bist, dass der Text und eine Situation zusammenpassen, trage den Buchstaben des Textes in das Kästchen ein und streiche den zugeordneten Text durch.

Wenn du dir sicher bist, dass der Text zu keiner Situation passt, streiche ihn ebenfalls durch.

Wenn du unsicher bist, streiche den Text **nicht** durch, mache neben dem Text ein Fragezeichen und gehe zum nächsten Text.

Bei dem Vergleich zwischen Text und Situation geht es manchmal schneller, wenn du nicht auf die Übereinstimmungen achtest, sondern auf die Unterschiede.

MEMO

Zugeordnete Texte und Texte ohne passende Situation durchstreichen.

Übung 6

a Warum passt Text E zu Situation 9? Notiere.

b Warum passt Text B nicht zu Situation 9? Notiere.

Wenn die Schlüsselwörter in Text und Situation wörtlich übereinstimmen, musst du gut aufpassen. Das sieht einfach und klar aus, denn in Text und Aufgabe sind mindestens zwei Wörter genau gleich. Aber manchmal ist das auch eine Falle. Bei wörtlicher Übereinstimmung von Schlüsselwörtern stimmen die anderen Informationen oft nicht überein.

MEMO

Auf Ähnlichkeiten und auf Unterschiede achten.

MEMO

Achtung: Wörtliche Übereinstimmungen können eine Falle sein.

Übung 7

a   Unterstreiche die wörtliche Übereinstimmung zwischen Situation 9 und Text F.

> 9   Thomas bedankt sich für das Gartenfest, das ihm sehr gut gefallen hat.
>
> F   Liebe Frau ...,
>   leider kann ich heute nicht kommen. Mir geht es nicht besonders gut. Vielleicht waren
>   es die Würstchen beim Gartenfest gestern Abend. Ich weiß es nicht, nächste Woche geht
>   es bestimmt wieder.
>   Lieben Gruß

b   Warum ist das Wort „Gartenfest" hier eine „Falle"? Notiere.

Übung 8

Gehe zum Übungstest auf Seite 14/15 und bearbeite die Texte wie in Schritt 4 beschrieben. Begründe deine Lösung bei jeder Aufgabe.

Es kann auch vorkommen, dass du beim zweiten Durchgang einen Text findest, der besser passt. Dann musst du deine erste Lösung natürlich korrigieren.

Wenn du alle Aufgaben durchgearbeitet hast, bearbeite noch einmal die Aufgaben, bei denen du nicht sicher warst oder ein Fragezeichen gemacht hast. Manchmal ist es leichter, eine Aufgabe zu lösen, wenn du dazwischen etwas anderes gemacht hast. Aber verwende nicht zu viel Zeit auf diese Aufgaben. Es geht immer nur um einen Punkt.

Schritt 5: Kontrolliere alle Lösungen.

Wenn du alle Aufgaben gelöst hast, überprüfe noch einmal die Zuordnungen. Lies zuerst die Situation, dann den Text.

*   Überprüfe, ob du allen Situationen einen Text zugeordnet hast.

*   Achte darauf, dass du keinen Buchstaben zweimal verwendet hast.

Teil 3

Lies den Text und die Aufgaben 10 – 14.

Kreuze bei jeder Aufgabe „richtig" oder „falsch" an.

Aufgabe jetzt noch nicht lösen, erst das Basistraining bearbeiten!

Immer mehr Nachhilfe in Deutschland

Mehr und mehr Schüler in Deutschland brauchen Nachhilfe. Oft haben sie Angst vor schlechten Noten. Deswegen lernen sie nach der Schule mit einem Privatlehrer weiter. Mehr als eine Million Kinder und Jugendliche nehmen regelmäßig Nachhilfeunterricht. Die meisten haben mit Mathe zu kämpfen. In manchen Städten bekommt jeder fünfte Schüler Nachhilfe in diesem Fach.

Aber auch in Deutsch und Englisch haben viele Schüler Probleme. Oft sind es schon Grundschüler, die regelmäßig zusätzlichen Unterricht brauchen. Denn bei ihnen entscheidet sich nach der Grundschulzeit, auf welche Schule sie danach gehen. Und dafür sind die Noten wichtig.

Deshalb lernen viele Schüler mit einem älteren Schüler, einem Studenten oder Privatlehrer nach der Schule zu Hause weiter. Diese privaten Nachhilfestunden sind nicht billig, man kann sie nicht mal so eben vom Taschengeld bezahlen. Das können sich nur Eltern leisten, die genug Geld verdienen.

Kinder von Eltern, die nicht so viel Geld haben, müssen die Schule irgendwie alleine schaffen. Da gibt es keinen Nachhilfelehrer, der komplizierte Sachen noch einmal in Ruhe erklärt. Diese Kinder haben deswegen ein größeres Risiko, schlechte Noten zu bekommen.

Aus diesem Grund sagen Fachleute auch, dass Privatstunden nicht gerecht sind. Sie sagen jedenfalls, dass Schüler in Ländern wie Finnland oder in den Niederlanden kaum Nachhilfe brauchen. Sie meinen, dass die Schulen in Deutschland besser werden müssen.

Aufgaben 10 – 14

		richtig	falsch
10	Die meisten Schüler in Deutschland haben Nachhilfe.		
11	Wer nach der Grundschule eine Fremdsprache lernen will, braucht gute Noten.		
12	Viele Schüler bezahlen ihre Nachhilfe vom Taschengeld.		
13	Kinder aus ärmeren Familien haben schlechtere Noten in der Schule.		
14	Fachleute halten den Nachhilfeunterricht für ungerecht.		

Leseverstehen 3: Basistraining

In den Aufgaben 10–14 musst du herausfinden, ob die Aussagen zu einem Text richtig oder falsch sind.

🦶 Schritt 1: Verschaffe dir einen ersten Eindruck vom Text.

Lies nur die Überschrift und die ersten und letzten Sätze des Textes. Dieses orientierende Lesen gibt dir einen ersten Eindruck vom Inhalt des Textes und spart Zeit.

MEMO_____

Nur Anfang und Ende des Textes lesen. Das spart Zeit.

Übung 1

Lies die ersten und letzten Sätze. Welche Informationen bekommst du? Kreuze an. Es gibt mehrere Möglichkeiten.

> **Immer mehr Nachhilfe in Deutschland**
>
> Mehr und mehr Schüler in Deutschland brauchen Nachhilfe …

> … Sie sagen jedenfalls, dass Schüler in Ländern wie Finnland oder in den Niederlanden kaum Nachhilfe brauchen. Sie meinen, dass die Schulen in Deutschland besser werden müssen.

In diesem Text geht es (wahrscheinlich) um …

A ☐ die Qualität der Schulen in Deutschland.

B ☐ einen internationalen Vergleich von Schulen.

C ☐ Nachhilfeunterricht in Deutschland.

D ☐ Gründe für die Zunahme von Nachhilfeunterricht in Deutschland.

B ist nicht sehr wahrscheinlich. Bei einem internationalen Vergleich von Schulen würde der Text wahrscheinlich anders beginnen. Die anderen Aussagen könnten aber alle richtig sein. Und tatsächlich geht es in dem Text um Nachhilfeunterricht in Deutschland und die Frage, warum immer mehr Schüler Nachhilfe nehmen müssen.

👣 Schritt 2: Markiere die wichtigen Informationen in den Aufgaben.

Lies danach alle Aufgaben unter dem Text durch. Markiere die wichtigen Informationen in jeder Aufgabe.

Die wichtigen Informationen verstecken sich in den Schlüsselwörtern. Wie du schon weißt, sind das meistens die Nomen und Verben. Die solltest du unterstreichen. Es gibt aber auch andere Wörter, die wichtig sein können. Die solltest du einkreisen.

Übung 2

Markiere in Aufgabe 10 alle wichtigen Informationen.

> **10** Die meisten Schüler in Deutschland haben Nachhilfe.

Merke dir die unterstrichenen Informationen gut. Du brauchst sie im nächsten Schritt.

👣 Schritt 3: Finde die passende Textstelle zu jeder Aufgabe.

Lies jetzt den Text bis zu der Stelle, wo du Informationen findest, die zur Aufgabe 10 passen. Wenn du die passende Textstelle gefunden hast, vergleiche sie mit der Aufgabe 10.

Übung 3

Unterstreiche die Schlüsselwörter, die in Aufgabe 10 und im Text gleich sind.

> **10** Die meisten Schüler in Deutschland haben Nachhilfe.

> Mehr und mehr Schüler in Deutschland brauchen Nachhilfe. Oft haben sie Angst vor schlechten Noten. Deswegen lernen sie nach der Schule mit einem Privatlehrer weiter.

Wenn du dir ganz sicher bist, dass die Aussage richtig oder falsch ist, kannst du sofort dein Kreuz bei *richtig* oder *falsch* machen.

Aber aufpassen: Auch wenn die Schlüsselwörter in der Aufgabe und im Text wörtlich übereinstimmen, zeigt das nur, dass Textstelle und Aufgabe miteinander zu tun haben. Es bedeutet nicht, dass die Textstelle richtig ist. Das kannst du nur durch einen genauen Vergleich herausfinden.

MEMO_____

Wörtliche Übereinstimmungen zwischen Aufgabe und Text können eine Falle sein.

Wenn du dir nicht sicher bist, unterstreiche die gesamte Textstelle und notiere am Rand die Nummer der Aussage, die vielleicht passt. Mache daneben ein Fragezeichen.

Wenn du dich für *richtig* oder *falsch* entschieden hast, mache am Ende der Textstelle einen senkrechten Strich, der gut zu sehen ist, wie in dem folgenden Beispiel. Du weißt dann, wo du anschließend weiterlesen musst.

> Mehr und mehr Schüler in Deutschland brauchen Nachhilfe. Oft haben sie Angst vor schlechten Noten. Deswegen lernen sie nach der Schule mit einem Privatlehrer weiter. |

Manchmal ist es schwierig, eine passende Textstelle zu finden. Das liegt daran, dass die Schlüsselwörter aus der Aufgabe im Text oft gar nicht vorkommen. An ihrer Stelle werden Synonyme oder ähnliche Ausdrücke gebraucht.

Übung 4

In Aufgabe 11 sind die wichtigen Informationen schon markiert. Suche im Text Synonyme und Ausdrücke, die dazu passen. Schreibe sie in die Tabelle unten.

> **11** Wer nach der Grundschule eine Fremdsprache lernen will, braucht gute Noten.

> Aber auch in Deutsch und Englisch haben viele Schüler Probleme. Oft sind es schon Grundschüler, die regelmäßig zusätzlichen Unterricht brauchen. Denn bei ihnen entscheidet sich nach der Grundschulzeit, auf welche Schule sie danach gehen. Und dafür sind die Noten wichtig. |
>
> (11)

Schlüsselwörter in der Aufgabe:	Ähnliche Ausdrücke im Text:
nach der Grundschule	
Grundschule	
eine Fremdsprache	
braucht gute Noten	

Aber bitte wieder aufpassen: Die Ähnlichkeiten zwischen den Schlüsselwörtern in der Aufgabe und den Inhalten im Text zeigen nur, dass Aufgabe und Textstelle miteinander zu tun haben. Wie bei gleichen Schlüsselwörtern bedeutet das nicht, dass die Aussage automatisch richtig ist. Sie kann auch falsch sein.

Übung 5

Ist Aussage 11 richtig oder falsch? Warum? Notiere

Mach dein Kreuz nur, wenn du ganz sicher bist. Sonst ist es besser, die Textstelle zu unterstreichen, am Rand die Nummer der Aussage zu notieren, die
vielleicht passt und daneben ein Fragezeichen zu machen.

Bevor du im Text weiterliest, schau dir in der nächsten Aussage noch einmal
die markierten Informationen an. Versuche, dir wieder das Wichtigste zu
merken.

Lies dann im Text weiter. Fang dort an zu lesen, wo du das Ende der letzten
Textstelle markiert hast. Fang nicht wieder am Anfang an. Das spart Zeit.
Die passenden Textstellen stehen immer in derselben Reihenfolge wie die
Aussagen.

Lies in Abschnitten so lange weiter, bis du zu jeder Aussage die passende
Textstelle gefunden hast. Und denke daran, dass es zu jedem Abschnitt
immer entweder eine Aufgabe oder keine gibt. Wenn du eine passende
Textstelle gefunden hast, vergleiche sie genau mit der Aussage. Wenn du
sicher bist, dass die Aussage richtig oder falsch ist, mach dein Kreuz bei
richtig oder *falsch*.

Mach immer ein Kreuz, denn die Chancen sind optimal (50:50).

> **MEMO**_____
>
> *Die passenden Textstellen
> und die Aufgaben stehen
> immer in derselben
> Reihenfolge.*

> **MEMO**_____
>
> *Nach jeder Aufgabe im
> Text dort weiterlesen, wo
> du aufgehört hast.*

> **MEMO**_____
>
> *Zu jedem Abschnitt gibt
> es immer entweder eine
> Aufgabe oder keine.*

Übung 6

**Gehe zum Übungstest auf Seite 21 und bearbeite den Text wie in Schritt 2 und 3 beschrieben.
Begründe deine Lösung.**

Wenn du alle Aufgaben durchgearbeitet hast, bearbeite noch einmal die Aufgaben, bei denen du
nicht sicher warst und ein Fragezeichen gemacht hast. Manchmal ist es leichter, eine Aufgabe zu lösen,
wenn du inzwischen etwas anderes gemacht hast. Aber verwende in der Prüfung nicht zu viel Zeit auf
diese Aufgaben. Es geht immer nur um einen Punkt.

Schritt 4: Kontrolliere die Lösungen.

- Kontrolliere noch einmal alle Textstellen und Aussagen der Reihe nach und vergleiche die
  Informationen im Text genau mit den Aussagen.

- Denk daran: Zu jedem Abschnitt gibt es immer entweder eine Aussage oder keine.

- Achte darauf, dass du bei allen Aussagen *richtig* oder *falsch* angekreuzt hast.

Teil 4

Lies den Text und die Aufgaben 15–20.

Kreuze bei jeder Aufgabe die richtige Lösung an.

> Aufgabe jetzt noch nicht lösen, erst das Basistraining bearbeiten!

Ich möchte euch etwas über mich erzählen. Ich heiße Anna, bin 14 Jahre alt und ein ganz normales Mädchen. Ich reite und lese gerne und mag die Musik von Sarah Connor und Tokio Hotel. Meine beste Freundin heißt Evelyn und geht in die Parallelklasse. Eigentlich gehe ich gerne in die Schule, aber seit einiger Zeit habe ich ein Problem: Drei Mädchen aus meiner Klasse lachen über mich, beleidigen mich, schlagen und verfolgen mich.

Ich glaube, dass Mobbing uns alle angeht. Niemand sollte einfach wegschauen. Die ganze Schule muss wissen, was bei uns los ist.

Aber meine Lehrer glauben mir nicht. Sie meinen, dass ich mir das alles nur ausdenke. In einer Pause ging ich mit Evelyn durch die Aula. Plötzlich kamen diese drei Mädchen auf uns zu und beschimpften mich. Obwohl Evy bei mir war, bekam ich große Angst. Als die anderen nicht aufhörten, ging ich zum Lehrerzimmer. Aber mein Klassenlehrer zuckte nur mit den Schultern und schickte mich weg! Ich solle doch mit meinen Eltern reden, meinte er.

Als ich einmal alleine im Schulhof war, fingen sie sogar an, mich zu treten. Ich versuchte, mich zu wehren, aber die drei sind größer als ich und schlugen mir gegen die Schulter und den Rücken. Niemand hat etwas dagegen getan. Im Gegenteil, die anderen Schüler standen nur herum und lachten. Ich verstehe nicht, warum die so reagiert haben.

Es ist ziemlich schwer, so etwas zu auszuhalten, aber mit einer guten Freundin schafft man es. Evelyn hat immer zu mir gehalten. Sie hat sogar erreicht, dass ich meinen Eltern alles erzählt habe. Und wenn alles gut geht, kann ich nächsten Monat in die Klasse von Evelyn wechseln. Das hat unser Direktor meinen Eltern versprochen.

Ein Tipp an alle Schüler, die selbst gemobbt werden: Wartet nicht lange und sprecht mit Leuten, zu denen ihr Vertrauen habt, zum Beispiel mit Eltern, Geschwistern oder guten Freunden. Und vielleicht findet ihr ja auch einen Lehrer, der euch hilft.

Aufgaben 15 – 20

15 Anna ist ein normales Mädchen, das

A ☐ über ihre Hobbys berichten möchte.

B ☐ mit ihrer besten Freundin in dieselbe Klasse geht.

C ☐ von anderen Schülerinnen sehr schlecht behandelt wird.

16 Die Lehrer sind der Meinung, dass

A ☐ Anna diese Geschichten erfindet.

B ☐ Anna zu ängstlich ist.

C ☐ Annas Eltern besser aufpassen sollten.

17 Anna versteht nicht, warum

A ☐ die anderen Mädchen sich nicht wehren.

B ☐ größere Schüler ihr lachend auf die Schulter klopfen.

C ☐ andere Schüler ihr nicht helfen.

18 Anna hat das Mobbing ertragen, weil

A ☐ ihre beste Freundin ihr immer geholfen hat.

B ☐ ihre Eltern mit dem Direktor gesprochen haben.

C ☐ Evelyn ihren Eltern alles erzählt hat.

19 Wenn man gemobbt wird, sollte man

A ☐ mit Schülern reden, die auch gemobbt werden.

B ☐ Menschen ansprechen, die einem helfen können.

C ☐ die anderen Schüler fragen, warum sie mobben.

20 Anna schreibt diesen Bericht, weil sie

A ☐ sich über das Verhalten ihrer Lehrer ärgert.

B ☐ von Schülerinnen der Parallelklasse gemobbt wird.

C ☐ etwas gegen das Mobbing an ihrer Schule machen will.

Leseverstehen Teil 4: Basistraining

In den Aufgaben 15 – 19 gibt es jeweils drei Aussagen zum Text. Du musst die richtige finden. In Aufgabe 20 musst du herausfinden, welche von drei Aussagen zum gesamten Text richtig ist.

Schritt 1: Verschaffe dir einen ersten Eindruck vom Text.

Lies nur einen oder zwei Abschnitte des Textes, aber nicht mehr. Dieses orientierende Lesen verschafft dir einen ersten Eindruck vom Inhalt des gesamten Textes.

Übung 1

Lies den ersten Abschnitt des Textes. Worum geht es im Text wahrscheinlich? Kreuze an.

> Ich möchte euch etwas über mich erzählen. Ich heiße Anna, bin 14 Jahre alt und ein ganz normales Mädchen. Ich reite und lese gerne und mag die Musik von Sarah Connor und Tokio Hotel. Meine beste Freundin heißt Evelyn und geht in die Parallelklasse. Eigentlich gehe ich gerne in die Schule, aber seit einiger Zeit habe ich ein Problem: Drei Mädchen aus meiner Klasse lachen über mich, beleidigen mich, schlagen und verfolgen mich.

In diesem Text geht es wahrscheinlich darum, dass …

A ☐ Anna von anderen Mädchen gemobbt wird.

B ☐ an der Schule von Anna gemobbt wird.

C ☐ Anna eine gute Freundin hat.

D ☐ Anna von ihren Hobbys erzählen möchte.

Lösung C und D passen wahrscheinlich nicht. Das zeigt schon die Formulierung „… aber seit einiger Zeit habe ich ein Problem". Die beiden anderen Aussagen könnten richtig sein. Das reicht schon für den Anfang. Mehr musst du jetzt noch nicht wissen.

Schritt 2: Markiere die wichtigen Informationen in den Satzanfängen der Aufgaben.

Jede Aufgabe besteht aus einem Satz, der auf drei verschiedene Arten endet (A, B, C) wie in dem folgenden Beispiel:

---

15 Anna ist ein normales Mädchen, das

A ☐ über ihre Hobbys berichten möchte.

B ☐ mit ihrer besten Freundin in dieselbe Klasse geht.

C ☐ von anderen Schülerinnen sehr schlecht behandelt wird.

Um die passende Textstelle zu finden, reichen die Informationen im Satzanfang.

Die wichtigen Informationen sind leicht zu erkennen, weil die Satzanfänge immer sehr kurz sind. Wenn du gleich weiterliest, wirst du nur verwirrt. So viele Informationen kann sich kein Mensch merken.

> **MEMO**_____
>
> *In Schritt 2 nur auf die Satzanfänge konzentrieren.*

Übung 2

Gehe zum Übungstest auf Seite 27 und markiere die wichtigen Informationen in den Satzanfängen der Aufgaben 15–19.

In Schritt 2 geht es nur um die Aufgaben 15–19. Was bei Aufgabe 20 zu tun ist, erfährst du in Schritt 5.

Wahrscheinlich hast du die wichtigen Informationen in den Satzanfängen schnell gefunden und markiert. Diese wenigen Informationen reichen fast immer, um im nächsten Schritt bereits die passende Textstelle zu finden.

> **MEMO**_____
>
> *Der Satzanfang reicht, um die passende Textstelle zu finden.*

Schritt 3: Finde die passenden Textstellen zu den Aufgaben 15–19.

Nachdem du die wichtigen Wörter in den Aufgaben 15–19 unterstrichen hast, schau dir noch einmal den Satzanfang in der ersten Aufgabe an. Merke dir die wichtigen Informationen und lies dann den Text. Lies den Text aufmerksam durch, bis du ein Schlüsselwort oder einen ähnlichen Begriff wie in der ersten Aufgabe findest. Notiere neben diesem Abschnitt die Nummer der Aufgabe.

> **MEMO**_____
>
> *Nummer der Aufgabe neben die passende Textstelle schreiben.*

Übung 3

a   **Schau dir noch einmal den Satzanfang von Aufgabe 15 an und erinnere dich an die wichtigen Informationen.**

> **15** Anna ist ein (normales) Mädchen, das …

b   **Lies dann den Text und unterstreiche die Wörter, die mit den Informationen in Aufgabe 15 übereinstimmen.**

> Ich möchte euch etwas über mich erzählen. Ich heiße Anna, bin 14 Jahre alt und ein ganz normales Mädchen. Ich reite und lese gerne und mag die Musik von Sarah Connor und Tokio Hotel. Meine beste Freundin heißt Evelyn und geht in die Parallelklasse. Eigentlich gehe ich gerne in die Schule, aber seit einiger Zeit habe ich ein Problem: Drei Mädchen aus meiner Klasse lachen über mich, beleidigen mich, schlagen und verfolgen mich.

Bei der ersten Aufgabe in diesem Prüfungsteil (Aufgabe 15) ist es sehr einfach, die passende Textstelle zu finden. Es muss immer der erste oder zweite Abschnitt des Textes sein, denn die Aufgaben und die Textstellen erscheinen in derselben Reihenfolge.

Nachdem du die erste Textstelle gefunden hast, musst du Schritt 3 so lange wiederholen, bis du zu allen Satzanfängen in den Aufgaben 15 bis 19 die passende Textstelle gefunden hast.

MEMO_____

Aufgaben und Textstellen erscheinen immer in derselben Reihenfolge.

Übung 4

Gehe zum Übungstest auf Seite 26/27 und suche die Textstellen für die Aufgaben 16 und 17. Wenn du sicher bist, schreibe die Nummer der Aufgabe neben die passende Textstelle.

Wenn du trotz der wörtlichen Übereinstimmungen bei Aufgabe 16 und 17 unsicher bist, mache erst einmal ein Fragezeichen neben der Nummer der Aufgabe.

MEMO_____

Bei Unsicherheit Fragezeichen neben die Nummer der Aufgabe schreiben.

In der folgenden Aufgabe ist es etwas schwieriger. Hier gibt es keine wörtliche Übereinstimmung. Hier musst du ein Synonym im Text erkennen.

Übung 5

Gehe zum Übungstest auf Seite 26 und suche das Synonym im Text, das zu „ertragen" in Aufgabe 18 passt. Unterstreiche das Synonym.

Übung 6

Gehe zum Übungstest auf Seite 26/27 und löse die Aufgabe 19. Begründe deine Lösung.

Der schnellste und sicherste Weg, die richtigen Abschnitte zu finden, führt über die Schlüsselwörter und ähnliche Ausdrücke in den Satzanfängen und im Text.

Satzanfang:	Text:
15 Anna ist … normales Mädchen	Ich heiße Anna … normales Mädchen
16 Die Lehrer sind der Meinung	Sie meinen
17 Anna versteht nicht	Ich verstehe nicht
18 ertragen	aushalten
19 man gemobbt wird	alle Schüler, die selbst gemobbt werden

👣 Schritt 4: Bestimme die richtige Aussagen in den Aufgaben 15–19.

Wenn du alle Textstellen zu den Aufgaben 15 bis 19 gefunden hast, musst du herausfinden, welche der Aussagen unter A, B oder C richtig sind. Dazu musst du jede Aufgabe genau mit der gefundenen Text-stelle vergleichen.

Übung 7

a   Lies zuerst den Satzanfang von Aufgabe 15 und die Aussage unter A.

> **15** Anna ist ein normales Mädchen, das
>
>   A   ☐   über ihre Hobbys berichten möchte.

MEMO

Satzanfang und Aussage (A, B oder C) immer nacheinander mit der Textstelle vergleichen.

b   Stimmt das? Lies im Text nach. Kreuze die richtige Antwort an.

> Ich möchte euch etwas über mich erzählen. Ich heiße Anna, bin 14 Jahre alt und ein ganz normales Mädchen. Ich reite und lese gerne und mag die Musik von Sarah Connor und Tokio Hotel. Meine beste Freundin heißt Evelyn und geht in die Parallelklasse. Eigentlich gehe ich gerne in die Schule, aber seit einiger Zeit habe ich ein Problem: Drei Mädchen aus meiner Klasse lachen über mich, beleidigen mich, schlagen und verfolgen mich.

☐ stimmt   ☐ stimmt nicht

Manchmal ist es ganz leicht und du siehst sofort, dass A stimmt. Mache dann sofort dein Kreuz bei A. Wenn es aber keine Übereinstimmung mit dem Text gibt, mache mit Aussage B weiter.

Übung 8

a Lies noch einmal den Satzanfang und dazu die Aussage unter B.

---

15 Anna ist ein normales Mädchen, das

  B ☐ mit ihrer besten Freundin in dieselbe Klasse geht.

---

b Stimmt das? Lies im Text nach (in Übung 7). Kreuze die richtige Antwort an.

☐ stimmt ☐ stimmt nicht

Wenn du sicher bist, dass B stimmt, mache dein Kreuz bei B. Wenn es keine Übereinstimmung mit dem Text gibt, muss eigentlich C richtig sein. Bevor du aber dein Kreuz bei C machst, lies zur Kontrolle noch einmal den Satzanfang und Aussage C.

Übung 9

a Lies noch einmal den Satzanfang und dazu die Aussage unter C.

---

15 Anna ist ein normales Mädchen, das

  C ☐ von anderen Schülerinnen sehr schlecht behandelt wird.

---

b Stimmt das? Lies im Text nach (Übung 7) und kreuze die richtige Antwort an.

☐ stimmt ☐ stimmt nicht

Wenn du das Gefühl hast, dass auch C nicht stimmt, musst du noch einmal A, B und C durcharbeiten. In der richtigen Prüfung musst du dabei aber immer an die Zeit denken. Manchmal ist es besser, auf einen Punkt zu verzichten, als zu viel Zeit auf eine Aufgabe zu verwenden, die man nicht versteht.

Aber hier im Basistraining nehmen wir uns diese Zeit, damit du den Aufgabentyp gut verstehst und später auch diesen Prüfungsteil schnell und sicher bearbeiten kannst.

Übung 10

a Gehe zum Übungstest auf Seite 26/27 und lies die Aufgaben 16–19 und die passenden Textabschnitte.

b Unterstreiche die inhaltlichen Übereinstimmungen.

c Kreuze die richtige Antwort an und begründe deine Lösung.

Wenn du die Aufgaben 15 – 19 durchgearbeitet hast, bearbeite noch einmal die Aufgaben, bei denen du nicht sicher warst oder Fragezeichen gemacht hast. Manchmal ist es leichter, eine Aufgabe zu lösen, wenn du inzwischen etwas anderes gemacht hast. Aber verwende in der Prüfung nicht zu viel Zeit auf diese Aufgaben. Es geht immer nur um einen Punkt.

MEMO_____

Immer ein Kreuz machen, vielleicht hast du Glück.

Schritt 5: Bestimme die richtige Aussage oder Überschrift in Aufgabe 20.

Die letzte Aufgabe, Aufgabe 20, kann sehr unterschiedlich gestellt sein. Entweder musst du die richtige Überschrift bestimmen, oder du musst herausfinden, was das Wichtigste am Text ist. In beiden Fällen kannst du die Methoden anwenden, die du aus dem Leseverstehen Teil 1 kennst (Seite 12/13): Unterstreiche die wichtigen Wörter und ergänze „NUR/VOR ALLEM".

Übung 11

a   Lies Aufgabe 20 noch einmal, unterstreiche die wichtigen Wörter und füge mündlich den Zusatz „NUR / VOR ALLEM" ein.

b   Warum ist Aussage C richtig? Notiere.

Bei der letzten Aufgabe in diesem Prüfungsteil geht es immer darum, herauszufinden, welche Aussage oder Überschrift zum ganzen Text passt.

Schritt 6: Kontrolliere die Lösungen.

- Wenn du genug Zeit hast, lies noch einmal alle Textstellen und Aussagen und vergleiche die Informationen im Text genau mit den Aussagen.

- Achte darauf, dass du bei jeder Aufgabe ein Kreuz gemacht hast.

- Wenn du mit einer Aufgabe nicht klarkommst, rate einfach. Und denke daran, dass es andere Aufgaben beim Leseverstehen gibt, wo du die Punkte leichter und schneller verdienen kannst.

Teil 5

Lies die Texte 21–24 und die Überschriften A–H. Was passt zusammen?

Schreibe den richtigen Buchstaben (A–H) in die rechte Spalte.

Du kannst jeden Buchstaben nur einmal wählen. Vier Buchstaben bleiben übrig.

Aufgabe jetzt noch nicht lösen, erst das Basistraining bearbeiten!

Tiere

	Beispiel Ein Rettungsdienst in Lüchow hat einen seltsamen Notruf erhalten: Aus dem Telefon kam nur das Bellen eines Hundes. Polizeibeamte sind später zu dem Haus gefahren, von dem der Anruf kam. Sie wollten wissen, was genau passiert war. Dort haben sie festgestellt, dass der Hund nur mit dem Telefon gespielt und dabei mit den Pfoten die Notrufnummer 112 gewählt hatte.	
0		Z
21	In Norddeutschland haben Spaziergänger neuerdings Angst vor Krähen. Die Vögel, die sonst ganz harmlos sind, greifen nämlich Spaziergänger und ihre Hunde an. Einige hackten den Leuten so stark mit ihren Schnäbeln auf den Kopf, dass sie ins Krankenhaus mussten. Die Vögel sind deshalb so aggressiv, weil sie gerade ihre Eier ausbrüten. Sie haben Angst, dass die Spaziergänger oder ihre Hunde ihre Jungen verletzen, und beschützen sie. Das ist gut für ihre Jungen, aber gefährlich für Menschen und ihre Hunde.	
22	In Colorado in den USA ist ein Schwarzbär einfach durch die offene Haustür in ein Wohnhaus spaziert. Dort hat er Obst aus einem Korb gefressen und Wasser aus dem Aquarium getrunken. Als die elfjährige Lizzy nach Hause kam, konnte sie ihren geliebten Spielzeugteddy nicht mehr finden. Selbst gesehen hat sie den Schwarzbären aber nicht. Er ist geflüchtet, als er sie kommen hörte. Er hinterließ nur seine Spuren und ein halb leeres Aquarium. Und den Teddy hat er auch mitgenommen.	
23	Auch in Nepal, einem Land in Asien, gibt es Schönheitswettbewerbe. Aber dort geht es nicht um gut aussehende Frauen oder Männer, sondern um den schönsten Elefanten. Einige haben sogar rot lackierte Fußnägel. Bei diesem Wettbewerb müssen die Elefanten nicht nur schön sein, sondern auch richtig sportlich. So gibt es zum Beispiel ein Elefanten-Fußballspiel. Elefanten sind in Nepal sehr beliebt. Es gibt dort auch Menschen, die sich einen Elefanten als Haustier halten, so wie in Deutschland Hunde oder Katzen.	
24	Hundefreunde haben es schon immer gewusst: Ihre Vierbeiner sind viel schlauer, als die Menschen glauben. In Amerika haben Forscher einen Border-Collie ein paar Jahre trainiert und jetzt kann der Hund mehr als 1.000 Sachen erkennen und unterscheiden. Er weiß zum Beispiel, was ein Ball oder Stock ist. Außerdem kann der Hund zwischen Gegenständen und Befehlen unterscheiden. Die Wissenschaftler sind sich sicher, dass der Hund viel mehr als 1.000 Namen für Sachen lernen kann. Bisher lag der Rekord übrigens bei 200 Wörtern.	

Überschriften A–H

Z	Ungewöhnlicher Notruf
A	Krähen machen Ärger
B	Hunde verletzen junge Krähen
C	Echter Bär stiehlt Teddybär
D	Haustiere in Asien
E	Hund mit Supergedächtnis
F	Schwarzbär bedroht Elfjährige
G	Schönheitswahl bei Elefanten
H	Hund lernt sprechen

Leseverstehen 5: Basistraining

In den Aufgaben 21–24 musst du erkennen, welche Überschrift zu welchem Kurztext passt.

✏️ Schritt 1: Schau dir den Beispieltext und die Überschrift Z an.

Schau dir kurz den Beispieltext und die passende Überschrift Z an. Das hilft dir, dich zu erinnern, worum es in der Aufgabe geht. Streiche dann Beispieltext und Beispielüberschrift durch. Beide werden in der Aufgabe nicht mehr verwendet.

✏️ Schritt 2: Markiere die wichtigen Informationen im ersten Text.

Lies den ersten Text (21) und markiere die wichtigen Wörter. Lies die folgenden Texte noch nicht! Je mehr Texte du gelesen hast, desto mehr Informationen musst du verarbeiten. Das macht die Aufgabe schwerer.

Stell dir nach dem Durchlesen des Textes die Frage: Worum geht es? Was ist das Thema? Versuche, in Gedanken darauf eine kurze Antwort zu geben. Lies noch nicht die Überschriften, die auf der nächsten Seite stehen!

> **MEMO**
>
> *Nicht alle Texte auf einmal lesen.*

Übung 1

a   Markiere die wichtigen Informationen.

> **21** In Norddeutschland haben Spaziergänger neuerdings Angst vor Krähen. Die Vögel, die sonst ganz harmlos sind, greifen nämlich Spaziergänger und ihre Hunde an. Einige hackten den Leuten so stark mit ihren Schnäbeln auf den Kopf, dass sie ins Krankenhaus mussten. Die Vögel sind deshalb so aggressiv, weil sie gerade ihre Eier ausbrüten. Sie haben Angst, dass die Spaziergänger oder ihre Hunde ihre Jungen verletzen, und beschützen sie. Das ist gut für ihre Jungen, aber gefährlich für Menschen und ihre Hunde.

b   Worum geht es in dem Text? Notiere.

In der richtigen Prüfung hast du natürlich keine Zeit, das Thema des Textes in deinen Worten zu beschreiben. In der Prüfung musst du dir schon beim Lesen klarmachen, worum es hier geht. Dabei hilft es, die wichtigen Informationen zu markieren.

✏️ Schritt 3: Finde eine passende Überschrift für den ersten Text.

Lies den Text 21 ein zweites Mal. Achte auf deine Markierungen. Merke dir, worum es geht (Übung 1). Gehe dann zu den Überschriften. Lies sie der Reihe nach durch, bis du zu einer Überschrift kommst, die zum Thema des Textes passen könnte.

Übung 2

a   Welche zwei Überschriften können vielleicht passen?

b   Welche Überschrift passt und warum? Notiere.

A	Krähen machen Ärger
B	Hunde verletzen junge Krähen
C	Echter Bär stiehlt Teddybär
D	Haustiere in Asien
E	Hund mit Supergedächtnis
F	Schwarzbär bedroht Elfjährige
G	Schönheitswahl bei Elefanten
H	Hund lernt sprechen

Wenn du ganz sicher bist, dass du die passende Überschrift gefunden hast, schreibe den entsprechenden Buchstaben neben den Text und streiche die Überschrift durch. Dadurch wird die Anzahl der Überschriften von Text zu Text kleiner und du vermeidest, aus Versehen dieselbe Überschrift noch einmal zu verwenden.

Wenn die Überschrift nicht passt, lies weiter, bis du eine andere Überschrift gefunden hast, die vielleicht passt. Notiere auch den Buchstaben dieser Überschrift neben dem Text.

Wenn du dich zwischen zwei (oder mehr) Überschriften entscheiden musst, konzentriere dich noch einmal auf die wichtigen Informationen im Text. Mach dir das Thema klar, um das es in dem Text geht. Vergleiche Schlüsselwörter und Thema mit den Überschriften, die du gefunden hast. Mache dir klar, warum eine Überschrift deiner Meinung nach passt oder nicht.

MEMO_____

Verwendete Überschriften durchstreichen.

MEMO_____

Meistens gibt es zwei oder mehr ähnliche Überschriften.

Vergleiche die Texte genau mit den Überschriften, die passen könnten. Achte dabei auch auf „Fallen". So gibt es Texte und Überschriften, bei denen bestimmte Schlüsselwörter gleich sind, die aber trotzdem nicht zusammenpassen.

Übung 3

Lies Text 22 und Überschrift F. Welche zwei Fallen gibt es? Notiere die Wörter und begründe deine Antwort.

| F | Schwarzbär bedroht Elfjährige |

> **22** In Colorado in den USA ist ein Schwarzbär einfach durch die offene Haustür in ein Wohnhaus spaziert. Dort hat er Obst aus einem Korb gefressen und Wasser aus dem Aquarium getrunken. Als die elfjährige Lizzy nach Hause kam, konnte sie ihren geliebten Spielzeugteddy nicht mehr finden. Selbst gesehen hat sie den Schwarzbären aber nicht. Er ist geflüchtet, als er sie kommen hörte. Er hinterließ nur seine Spuren und ein halb leeres Aquarium. Und den Teddy hat er auch mitgenommen.

Auch wenn du eine Falle übersiehst und vielleicht einen Fehler machst, geht die Welt nicht unter. Es ist nur ein Punkt, den du dann verlierst. Wenn du alles andere richtig hast, ist das immer noch ein sehr gutes Ergebnis.

Schritt 4: Bearbeite die übrigen Texte und Überschriften wie in Schritt 2 und 3 beschrieben.

Übung 4

Gehe zum Übungstest auf Seite 35/36 und finde die passenden Überschriften zu Text 23 und 24.

Schritt 5: Kontrolliere deine Lösungen.

Wenn noch Zeit ist, kannst du deine Lösungen noch einmal kontrollieren.

• Vergleiche Texte und Überschriften noch einmal miteinander: Worum geht es im Text? Was steht in der Überschrift?

• Hast du jedem Text einen Buchstaben zugeordnet?

• Hast du keinen Buchstaben zweimal verwendet?

Hörverstehen: Übersicht

Der Prüfungsteil *Hörverstehen* besteht aus fünf verschiedenen Teilen. Der gesamte Prüfungsteil dauert ungefähr eine halbe Stunde. Anschließend hast du noch zehn Minuten, um die Lösungen in das Antwortblatt zu übertragen.

In diesem Prüfungsteil hast du keine Möglichkeit, eigene Wege zu gehen. Der gesamte Ablauf der Prüfung ist bis auf die Sekunde genau vorgegeben. Wenn der Prüfungsbogen ausgeteilt ist, startet der Prüfer / die Prüferin die CD und darf sie nicht anhalten, bis die Prüfung zu Ende ist.

Ein Sprecher / Eine Sprecherin führt dich durch die gesamte Prüfung.

Für alle fünf Teile kannst du maximal 24 Punkte bekommen.

	Text	Aufgabentyp	Punkte	Zeit
Teil 1	fünf Hörszenen mit einfachen Strukturen und einfachem Wortschatz	Multiple-Choice-Aufgaben mit drei Bildern zur Auswahl	5 Punkte	ungefähr 7 Minuten
Teil 2	vier informative Hörtexte (z. B. E-Mails oder Durchsagen)	jedem Hörtext eine passende Person zuordnen	4 Punkte	ungefähr 7 Minuten
Teil 3	ein dialogischer Hörtext zu einem bestimmten Thema (z. B. ein Interview oder eine Radiosendung)	Richtig-falsch-Aufgaben	5 Punkte	ungefähr 7 Minuten
Teil 4	ein beschreibender Hörtext mit hauptsächlich einfachen Strukturen (z. B. ein Bericht aus dem Schülerradio)	Multiple-Choice-Aufgaben mit drei Optionen	6 Punkte	ungefähr 8 Minuten
Teil 5	vier beschreibende, kurze Hörtexte (z. B. Ausschnitte aus einem Gespräch, einem Telefonanruf etc.)	jedem Hörtext eine Aussage zuordnen	4 Punkte	ungefähr 3 Minuten

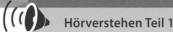
Teil 1: In der Freizeit

Du hörst gleich fünf Szenen. Sie spielen in der Freizeit verschiedener Personen. Zu jeder Szene gibt es drei Bilder.

Welches Bild passt? Kreuze beim Hören zu jeder Szene das richtige Bild (A oder B oder C) an.

Danach hörst du die Szenen noch einmal.

> *Aufgabe jetzt noch nicht lösen, erst das Basistraining bearbeiten!*

Szene 1
Sieh dir zuerst die Bilder an. Du hast dafür sechs Sekunden Zeit.

A ☐   B ☐   C ☐

Szene 2
Sieh dir zuerst die Bilder an. Du hast dafür sechs Sekunden Zeit.

A ☐   B ☐   C ☐

Szene 3

Sieh dir zuerst die Bilder an. Du hast dafür sechs Sekunden Zeit.

A ☐   B ☐   C ☐

Szene 4

Sieh dir zuerst die Bilder an. Du hast dafür sechs Sekunden Zeit.

A ☐   B ☐   C ☐

Szene 5

Sieh dir zuerst die Bilder an. Du hast dafür sechs Sekunden Zeit.

A ☐   B ☐   C ☐

Hörverstehen Teil 1: Basistraining

Im Prüfungsteil Hörverstehen ist der Prüfungsablauf bis auf die Sekunde genau vorgegeben. Er wird durch die CD bestimmt. Anders als beim Leseverstehen hast du also kaum Möglichkeiten, dir eigene Arbeitsschritte auszudenken. Im Folgenden lernst du, was du in diesen Schritten tun musst und was dir helfen kann.

Schritt 1: Höre und lies die Einleitung.

Am Anfang vom Hörverstehen Teil 1 gibt es eine Einleitung zu diesem Prüfungsteil. Die Einleitung enthält wichtige Informationen. Erst wird das Thema genannt und dann wird kurz beschrieben, was du machen musst. Hier im Übungstest geht es um das Thema „Freizeit".

 Übung 1

Höre und lies die Einleitung. Welche Themen könnten vielleicht vorkommen? Notiere.

> Teil 1: In der Freizeit
>
> Du hörst gleich fünf Szenen. Sie spielen in der Freizeit verschiedener Personen. Zu jeder Szene gibt es drei Bilder.
>
> Welches Bild passt? Kreuze beim Hören zu jeder Szene das richtige Bild (A, B oder C) an.
>
> Danach hörst du die Szenen noch einmal.

In der richtigen Prüfung hast du natürlich keine Zeit, dir Notizen zum Thema zu machen. Aber vielleicht schaffst du es ja, ganz schnell ein paar Ideen zum Thema im Kopf zu sammeln. Mit etwas Glück hast du eine Idee, die im Text vorkommt. – Und dann geht es schon los mit den Szenen.

Schritt 2: Sieh die Bilder zu jeder Szene an und finde die wichtigen Informationen.

Bei jeder Szene musst du dir die Bilder genau anschauen, bevor der Hörtext beginnt. Dazu hast du in der richtigen Prüfung sechs Sekunden Zeit. In dieser Zeit musst du die wichtigen Informationen in den Bildern erkennen. Das darfst du auf keinen Fall vergessen. In einer Prüfung ist jeder nervös. Viele Schüler warten einfach auf den Hörtext und vergessen, die Bilder richtig anzuschauen. Das sollte dir nicht passieren, denn die Bildinformationen zeigen, worum es im Hörtext vielleicht geht.

Schau dir also die Bilder zu Szene 1 genau an, bevor der Hörtext beginnt. Konzentriere dich dabei auf die wichtigen Bildinformationen. Hier im Basistraining kannst du dir dazu so viel Zeit nehmen, wie du brauchst.

MEMO____

Bilder genau anschauen, bevor der Hörtext beginnt.

Übung 2

Wer? Wo? Was? Welche Personen, Orte und Objekte siehst du auf den Bildern zu Szene 1? Notiere.

Wer? _____

_____

Wo? _____

_____

Was? _____

_____

👣 Schritt 3: Höre den Text zu jeder Szene und erkenne das Thema.

Nachdem du die Bilder zu einer Szene angeschaut hast, konzentriere dich nun auf den Text. Du musst nicht jedes Wort verstehen. Es geht um das Thema, über das sich die Personen unterhalten. Es geht nicht um die Einzelheiten.

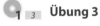 **Übung 3**

Höre den Text zu Szene 1. Worum geht es? Kreuze an.

☐ 1. Um einen Dokumentarfilm über Elefanten

☐ 2. Um Elefanten im Zoo

☐ 3. Um Elefanten im Zirkus

Wenn du nicht sicher bist, kannst du in der nächsten Übung den Text hören und lesen.

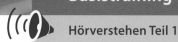
 **Übung 4**

Höre und lies den Text zu Szene 1. Welche Stellen zeigen, dass Vater und Tochter im Zoo sind? Unterstreiche die Stellen.

> ● *Papa, mir ist langweilig.*
> ▶ *Aber schau mal, die Elefanten. Ist das nicht toll?*
> ● *Nein, die machen ja gar nichts.*
> ▶ *Was sollen die denn machen?*
> ● *Rumlaufen, sich hinsetzen oder mit dem Ball spielen, so wie im Zirkus.*
> ▶ *Das ist doch nur etwas für kleine Kinder.*
> ● *Na und. Hier sind doch viele Kinder.*
> ▶ *Und viele Elefanten. Schau mal, das ist doch wie in Afrika.*

In der richtigen Prüfung kannst du den Text natürlich nicht lesen. Du hörst ihn nur. Und du musst beim Hören erkennen, wer spricht, wo die Leute sprechen und worüber.

Schritt 4: Kreuze das passende Bild nach dem ersten Hören an.

Kreuze immer ein Bild an, auch wenn du nach dem ersten Hören vielleicht noch nicht sicher bist. Meistens stimmt der erste Eindruck. Und wenn nicht, kannst du beim zweiten Hören deine Lösung korrigieren.

Nach jedem Hörtext hast du zehn Sekunden, um das passende Bild anzukreuzen. Danach hörst du einen Signalton. Der Ton zeigt an, dass die Pause zu Ende ist und die nächste Szene beginnt. Hier im Basistraining kannst du dir aber mehr Zeit nehmen und die CD jederzeit anhalten. Wenn du dir bei einer Szene nicht sicher bist, kannst du im Lösungsheft auf Seite 2 den Text mitlesen.

 Übung 5

Geh zum Übungstest auf Seite 40/41 und bearbeite alle Szenen.

– Sieh die Bilder zu jeder Szene an und finde die wichtigen Informationen.
– Höre den Text zu jeder Szene und erkenne das Thema.
– Kreuze das passende Bild nach dem ersten Hören an.

Nach dem letzten Text gibt es eine kurze Pause von etwa zehn Sekunden. Dann hörst du die Dialoge zum zweiten Mal.

Schritt 5: Überprüfe deine Lösungen beim zweiten Hören.

 Im zweiten Durchgang kannst du deine Lösungen kontrollieren und korrigieren.

Aber denke daran, dass die erste Entscheidung statistisch gesehen meistens richtig ist. Wenn du nicht ganz sicher bist, dass du beim ersten Hören einen Fehler gemacht hast, ändere besser nichts.

Teil 2: Durchsagen in der Schule

Du hörst gleich vier Durchsagen in der Schule.

Lies zuerst die Aufgaben 6 – 9. Du hast dafür 60 Sekunden Zeit.

Höre nun die Durchsagen. Löse die Aufgaben beim Hören.
Kreuze bei jeder Aufgabe die richtige Lösung (A oder B oder C) an.

Danach hörst du die Durchsagen noch einmal.

> *Aufgabe jetzt noch nicht lösen, erst das Basistraining bearbeiten!*

Aufgaben 6 – 9

6 Am Freitag

  A ☐ kommt eine Sendung im Schülerradio.

  B ☐ gibt der Direktor ein Interview.

  C ☐ gibt die Schülerband ein Konzert.

7 Der Direktor will

  A ☐ alle Schüler und Lehrer einladen.

  B ☐ bei der Abiturfeier nicht viel reden.

  C ☐ den ganzen Freitag unterrichtsfrei geben.

8 In der Schule

  A ☐ bleibt der Haupteingang geschlossen.

  B ☐ darf der Eingang im Norden nicht benutzt werden.

  C ☐ wird das mittlere Treppenhaus gestrichen.

9 Die Schüler müssen

  A ☐ sich für die Projekte im Sekretariat anmelden.

  B ☐ jeden Tag an der Projektwoche teilnehmen.

  C ☐ ein einwöchiges Projekt belegen.

Hörverstehen Teil 2: Basistraining

Auch dieser Prüfungsteil ist durch die CD bis auf die Sekunde genau vorgegeben und du musst dich an diesen Ablauf halten. In den nachfolgenden Schritten lernst du, worauf du während der Prüfung achten musst, damit du die Aufgaben sicher lösen kannst.

🐾 Schritt 1: Höre und lies die Einleitung.

Am Anfang von Hörverstehen Teil 2 gibt es wieder eine kurze Einleitung. Die Einleitung enthält wichtige Informationen. Erst wird gesagt, welche Art von Texten vorkommt. Hier im Übungstest geht es um „Durchsagen in der Schule". Dann wird kurz beschrieben, was du machen musst.

 Übung 1

Höre und lies die Einleitung. Welche Themen könnten vielleicht vorkommen? Notiere.

> **Teil 2: Durchsagen in der Schule**
> Du hörst gleich vier Durchsagen in der Schule.
> Lies zuerst die Aufgaben 6 – 9. Du hast dafür 60 Sekunden Zeit.

In der richtigen Prüfung hast du natürlich keine Zeit, dir Notizen zum Thema zu machen. Aber vielleicht schaffst du es ja, ganz schnell ein paar Ideen zum Thema im Kopf zu sammeln. Vielleicht hast du Glück und die eine oder andere Idee kommt im Test vor.

Bis der Hörtext losgeht, hast du nur eine Minute Zeit. Nutze sie! In einer Prüfung ist jeder nervös. Deswegen gibt es Schüler, die einfach auf den Hörtext warten und die Aufgaben vorher nicht richtig anschauen. Das sollte dir nicht passieren. Andere Schüler lesen zwar die Aufgaben, verstehen aber nicht viel, weil sie die ganze Zeit auf den Hörtext warten oder viel zu schnell lesen.

🐾 Schritt 2: Markiere die wichtigen Informationen in den Aufgaben.

Das Lesen ist eine Sache, das Verstehen eine andere. Deshalb ist es sinnvoll, alle wichtigen Informationen beim Lesen zu markieren.

Die wichtigen Informationen stecken in den Schlüsselwörtern. Das sind meistens die Nomen und Verben. Es gibt auch andere Wörter, die oft wichtig sind, zum Beispiel Verneinungen, Adverbien oder Präpositionen.

> **MEMO**
> *Schlüsselwörter unterstreichen, andere wichtige Wörter einkreisen.*

Für das Lesen und Unterstreichen hast du insgesamt nur eine Minute. Da bleibt keine Zeit, lange zu überlegen. Deswegen musst du gut trainieren, wichtige Informationen sofort zu erkennen.

Übung 2

Lies die Aufgaben 6 und 7 und markiere alle wichtigen Informationen.

6 Am Freitag

A ☐ kommt eine Sendung im Schülerradio.

B ☐ gibt der Direktor ein Interview.

C ☐ gibt die Schülerband ein Konzert.

7 Der Direktor will

A ☐ alle Schüler und Lehrer einladen.

B ☐ bei der Abiturfeier nicht viel reden.

C ☐ den ganzen Freitag unterrichtsfrei geben.

Sehr wahrscheinlich wirst du einige dieser Schlüsselwörter auch in den Hörtexten hören, die zu den Aussagen passen.

Schritt 3: Höre die Texte und erkenne die wichtigen Informationen.

Aufmerksam zuhören ist ganz wichtig. Also lass dich nicht ablenken. Versuche, beim Hören die wichtigen Informationen zu erkennen. Und wenn du mal etwas nicht verstehst, dann ärgere dich nicht und denke nicht lange darüber nach, denn es geht gleich weiter mit dem nächsten Hörtext.

1 12 **Übung 3**

Höre den Text zu Aufgabe 6 und nummeriere die Schlüsselwörter in der Reihenfolge, wie du sie im Text hörst.

☐ Freitag ☐ Sendung ☐ Radio 1 Mikrofon ☐ Interview

☐ Direktor ☐ Schulband ☐ Pause ☐ Konzert ☐ Neuigkeiten

Wenn du die Schlüsselwörter nicht gehört hast oder nicht richtig nummerieren konntest, kannst du den Text in der nächsten Aufgabe mitlesen. Wenn du keine Probleme hattest, brauchst du Übung 4 nicht zu machen.

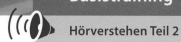

 1 · 13   **Übung 4**

Höre und lies den Hörtext zu Aufgabe 6 und unterstreiche die Schlüsselwörter.

> *Bitte alle herhören. Radio Mikrofon hat wichtige Neuigkeiten. Unsere nächste*
> *Sendung hört ihr am Freitag in der ersten Pause. Wir haben drei superaktuelle*
> *Beiträge für euch, darunter ein Interview mit unserem Direktor. Außerdem*
> *bringen wir Songs vom letzten Konzert unserer Schulband. Also nicht vergessen:*
> *Am Freitag geht Radio Mikrofon wieder auf Sendung.*

Bei Aufgabe 6 erscheinen die Schlüsselwörter alle auch im Hörtext. Aber das muss nicht so sein. Im
Gegenteil. Sehr oft kommen die Schlüsselwörter im Hörtext gar nicht vor. An ihrer Stelle werden
Synonyme oder ähnliche Ausdrücke verwendet. Das macht die Aufgabe schwer.

 1 · 14   **Übung 5**

Höre dir den Text zu Aufgabe 7 an. Welche Synonyme und ähnlichen Ausdrücke für die Schlüssel-
wörter hörst du? Ergänze die Tabelle.

Schlüsselwörter aus Aufgabe (7):	Synonyme oder ähnliche Ausdrücke im Hörtext:
Schüler	*Abiturienten, Schüler der Oberstufe*
Lehrer	
Abiturfeier	
nicht viel reden	
unterrichtsfrei	

Wenn du die Synonyme und ähnlichen Ausdrücke in Übung 5 beim Hören nicht erkannt hast, dann
mach die Übung 6. Wenn du alles richtig hast, kannst du gleich bei Schritt 4 weitermachen.

 1 · 15   **Übung 6**

Höre und lies den Text zu Aufgabe 7 noch einmal. Unterstreiche die Synonyme und die ähnlichen
Ausdrücke.

> *Guten Morgen. Übermorgen ist die Abschlussfeier für unsere Abiturienten. Alle Schüler*
> *der Oberstufe und die Kollegen sind herzlich eingeladen. Ab 12.30 Uhr gibt es in der Aula*
> *ein großes Büfett. Für Musik sorgt die Schülerband. Und ich verspreche, eine kurze Rede*
> *zu halten. Außerdem fällt der Unterricht für alle Schüler ab der sechsten Stunde aus.*

In der richtigen Prüfung kannst du die Hörtexte natürlich nicht lesen. Du hörst sie einmal und im zweiten Durchgang noch einmal. Trotzdem solltest du schon beim ersten Hören eine Lösung ankreuzen.

MEMO

Schon beim ersten Hören eine Lösung ankreuzen.

Schritt 4: Löse die Aufgaben bei/nach dem ersten Hören.

Wenn du die Durchsagen hörst, musst du dich ganz auf den Text konzentrieren. Der Sprecher / Die Sprecherin auf der CD sagt, dass du die Aufgaben beim Hören lösen sollst. Aber du kannst auch warten, bis der Text ganz fertig ist. Dann kannst du dich besser auf das Hören konzentrieren. Nach dem Hören hast du noch zehn Sekunden Zeit, um die richtige Aussage anzukreuzen.

Manchmal ist es auch gut, beim Hören die Augen zu schließen. Dann kannst du dich besonders gut auf den Text konzentrieren. Probiere selbst aus, ob das gut für dich ist.

Nach jedem Text hast du zehn Sekunden, um die richtige Aussage anzukreuzen. Danach hörst du einen Signalton. Der Ton zeigt, dass die Pause zu Ende ist und der nächste Text beginnt. Hier im Basistraining kannst du dir aber mehr Zeit nehmen und die CD jederzeit anhalten. Wenn du dir bei einer Aufgabe nicht sicher bist, kannst du den Text im Lösungsheft (Seite 2) mitlesen.

1 *16–19* **Übung 7**

Gehe zum Übungstest auf Seite 45 und löse alle Aufgaben wie in den Schritten 2–4 beschrieben. Wenn du möchtest, kannst du die Texte im Lösungsheft auf Seite 2 mitlesen.

– Markiere die wichtigen Informationen in den Aufgaben.
– Höre die Texte und erkenne die wichtigen Informationen.
– Löse die Aufgaben bei/nach dem ersten Hören.

Schritt 5: Überprüfe deine Lösungen beim zweiten Hören.

1 *20* Du hast jetzt alle Texte gehört und überall eine Aussage angekreuzt. In der richtigen Prüfung hörst du danach noch einmal alle Texte. Nach jedem Text hast du wieder zehn Sekunden Zeit, deine Lösung zu überprüfen und zu ändern, wenn nötig. Aber denke daran: Meistens sind die spontanen Lösungen aus dem ersten Durchgang richtig. Also ändere deine Lösung nur dann, wenn du ganz sicher bist, dass du im ersten Durchgang einen Fehler gemacht hast.

Nach dem zweiten Durchgang geht es in der Prüfung sofort weiter mit Hörverstehen Teil 3. Du hast also keine Zeit mehr, deine Lösungen nach dem zweiten Hören noch einmal zu überdenken. Das ist auch wenig sinnvoll, denn du kannst Änderungen ja nicht mehr mit dem Hörtext vergleichen.

MEMO

Bei jeder Aufgabe eine Aussage ankreuzen und nicht mehr.

Teil 3: Interview mit Herrn Kämmer

Herr Kämmer ist der Direktor eines Gymnasiums. Du hörst gleich ein Interview mit ihm, das im Schülerradio zu hören ist.

Lies zuerst die Sätze 10–14. Du hast dafür eine Minute Zeit.

Höre nun das Interview. Löse die Aufgaben beim Hören.
Kreuze bei jeder Aufgabe (10–14) an: richtig oder falsch?

Danach hörst du das Interview noch einmal.

Aufgabe jetzt noch nicht lösen, erst das Basistraining bearbeiten.

Aufgaben 10–14

		richtig	falsch
10	Der Direktor hat eine neue Cafeteria versprochen.		
11	Für die neue Cafeteria ist kein Geld vorhanden.		
12	Nächstes Jahr bekommt die Schule die neue Cafeteria.		
13	Die Schule sucht einen Aushilfslehrer für Chemie.		
14	Die Aushilfslehrer sollen mehr Geld bekommen.		

Hörverstehen Teil 3: Basistraining

Wie bei allen Prüfungsteilen zum Hören ist auch bei Hörverstehen Teil 3 der Ablauf ganz genau vorgegeben. Es gibt nur wenige Möglichkeiten zu individuellem Vorgehen. Diesen kleinen Spielraum kannst
du aber sinnvoll nutzen. In den folgenden Schritten lernst du, wie das geht.

Schritt 1: Höre und lies die Einleitung.

Wie bei allen Prüfungsteilen zum Hörverstehen hörst du zuerst die Einleitung. Die Einleitung enthält
wichtige Informationen. Erst wird kurz die Situation beschrieben, dann wird gesagt, was du machen
musst. In den meisten Fällen kannst du sofort erkennen, wer das Interview führt, wer interviewt wird
und für wen das Interview gemacht wird.

 Übung 1

**Höre und lies die Einleitung. Welche Personen wirst du in diesem Hörtext wahrscheinlich hören?
Für wen wird das Interview gemacht? Notiere.**

> **Teil 3: Interview mit Herrn Kämmer**
>
> Herr Kämmer ist der Direktor eines Gymnasiums. Du hörst gleich ein Interview mit ihm, das im
> Schülerradio zu hören ist.
>
> Lies zuerst die Sätze 10 – 14. Du hast dafür eine Minute Zeit.

Nachdem du erfahren hast, worum es geht, musst du die fünf Sätze (Aufgaben 10 – 14) lesen. Dafür
hast du eine Minute Zeit. Da es nur fünf Sätze sind, kannst du jede Aussage genau lesen und die
wichtigen Informationen markieren.

Schritt 2: Markiere die wichtigen Informationen in den Aufgaben.

Die wichtigsten Wörter sind natürlich die Nomen (und dazu gehören auch Namen) und Verben. Die
solltest du immer unterstreichen. Aber du musst auch auf Wörter achten, die andere Wörter genauer
definieren. Das sind vor allem Adjektive, Adverbien, Verneinungen und manchmal auch Modalverben.
Die solltest du einkreisen, wie in dem folgenden Beispiel:

(neue) Cafeteria

(kein) Geld

(sollen) bekommen

Wie wichtig diese Wörter sind, wirst du in den nächsten Schritten sehen.

MEMO_____

*Schlüsselwörter unter-
streichen, andere wichtige
Wörter einkreisen.*

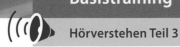
Übung 2

Markiere die wichtigen Informationen in den Aufgaben.

10	Der Direktor hat eine neue Cafeteria versprochen.
11	Für die neue Cafeteria ist kein Geld vorhanden.
12	Nächstes Jahr bekommt die Schule die neue Cafeteria.
13	Die Schule sucht einen Aushilfslehrer für Chemie.
14	Die Aushilfslehrer sollen mehr Geld bekommen.

👣 Schritt 3: Mache aus jeder Aussage eine Frage.

Noch bevor du den Text hörst, solltest du die Aussagen zum Text in Fragen umwandeln und dir leise selbst vorlesen. Dadurch wird ganz deutlich, worauf du beim Hören achten musst.

Übung 3

Mache aus den Aussagen zum Text Fragen.

10 Stimmt es, dass *der Direktor eine neue Cafeteria versprochen hat?*

11 Stimmt es, dass *für die neue Cafeteria* ?

12 Stimmt es, dass _____ ?

13 Stimmt es, dass _____ ?

14 Stimmt es, dass _____ ?

Wenn du später beim Hören mit „Ja" antworten kannst, dann ist die Aussage richtig. Wenn du mit „Nein" antworten musst, ist die Aussage falsch.

👣 Schritt 4: Höre den Text und löse die Aufgaben bei/nach dem ersten Hören.

In diesem Schritt kommt es auf zwei Dinge an: Beim Hören musst du erkennen, wo im Text von den Inhalten die Rede ist, die in den Aufgaben beschrieben werden. Dabei hilft, dass die Reihenfolge der Aufgaben und die Reihenfolge der Inhalte im Text immer übereinstimmen.

Wenn du die Textstelle erkannt hast, musst du herausfinden, ob die Aussage in der Aufgabe mit dem Inhalt im Text übereinstimmt oder nicht. Dabei kommt es manchmal auf Details an, die dir beim Lesen der Aufgaben und dem Markieren der Informationen (Schritt 2) noch gar nicht aufgefallen sind.

MEMO

Reihenfolge der Aufgaben und der Inhalte im Text stimmt immer überein.

22 **Übung 4**

a **Höre den Anfang des Hörtextes zu Aufgabe 10. Drücke die Pausetaste, wenn ein Inhalt beginnt, der nicht mehr mit dieser Aufgabe zu tun hat.**

> **10** Der Direktor hat eine neue Cafeteria versprochen.

b **Was sagen die Schülerin und der Direktor zu dem Versprechen? Notiere.**

Die Schülerin sagt, dass _____

_____ .

Der Direktor antwortet, dass _____

_____ .

Wenn du diese Inhalte richtig wiedergegeben hast, hast du verstanden, was im Hörtext gesagt wird. Du kannst sofort mit Übung 6 weitermachen. Wenn du Schwierigkeiten hattest, diesen Teil zu verstehen, mache jetzt Übung 5.

23 **Übung 5**

a **Höre und lies Aufgabe 10 und den Text. Beantworte dann die Frage.**

> **10** Der Direktor hat eine neue Cafeteria versprochen.

> ● *Herr Kämmer, Sie können sich doch sicher erinnern, dass Sie uns im letzten Jahr versprochen haben, dass unsere Schule bald eine neue Cafeteria bekommt. Können Sie uns dazu vielleicht etwas Neues sagen?*
>
> ▶ *Ja , was soll ich sagen? Das ist natürlich ein wichtiges Thema für euch. Aber bitte: Ich habe letztes Jahr gar nichts versprochen. Ich habe den Eltern nur gesagt, dass ich mich dafür einsetzen werde, dass die Cafeteria sobald wie möglich renoviert wird. Und das habe ich getan.*

Stimmt es, dass der Direktor eine neue Cafeteria versprochen hat? ☐ ja ☐ nein

b **Warum ist die Aussage 10 falsch? Notiere.**

In der richtigen Prüfung kannst du den Text natürlich nicht lesen. Du hast auch keine Zeit, diese Inhalte alle aufzuschreiben und mit der Aussage zu vergleichen. Aber hier im Basistraining können wir das machen. Damit wird deine Fähigkeit trainiert, die wichtigen Inhalte schnell zu erkennen und miteinander zu vergleichen.

 Übung 6

Gehe zum Übungstest auf Seite 50. Höre das ganze Interview und bearbeite alle Aufgaben. Wenn du Probleme hast, kannst du den Text im Lösungsheft auf Seite 3 mitlesen.

– Markiere die wichtigen Informationen in den Aufgaben.
– Mache aus jeder Aussage eine Frage.
– Höre die Texte und löse die Aufgaben bei/nach dem ersten Hören.

Auch wenn du dir nicht ganz sicher bist, entscheide dich sofort und beim ersten Hören für eine Lösung. Die Chance, richtig zu raten, ist sehr hoch (50 %). Deswegen ist es auf alle Fälle besser, irgendeine Lösung anzukreuzen, als gar keine. Außerdem kannst du im zweiten Durchgang (Schritt 5) deine erste Entscheidung korrigieren.

> **MEMO** _____
>
> *Schon beim ersten Hören immer ein Kreuz machen.*

 ## Schritt 5: Kontrolliere beim zweiten Hören.

Nachdem du den gesamten Text gehört hast, hast du noch zehn Sekunden, in denen du auch bei der letzten Aussage *richtig* oder *falsch* ankreuzen musst.

Danach beginnt der Hörtext noch einmal von vorne. Auch beim zweiten Hören gibt es keine Pausen zum Ankreuzen. Du musst dich wieder beim Hören entscheiden, wenn du deine erste Entscheidung korrigieren möchtest. Ändere nur dann etwas, wenn du ganz sicher bist, dass du beim ersten Durchgang einen Fehler gemacht hast. Es ist wissenschaftlich bewiesen, dass die spontanen Entscheidungen bei solchen Tests meistens richtig sind!

Achte darauf, dass du bei jeder Aufgabe eine Aussage (und nicht mehr!) angekreuzt hast.

Nach dem zweiten Durchgang gibt es zehn Sekunden Pause und dann geht es in der Prüfung sofort weiter mit Hörverstehen Teil 4. Du hast also keine Zeit mehr, deine Lösungen nach dem zweiten Hören noch einmal zu kontrollieren.

Teil 4: Ein Jahr in Australien

Auf der Internetseite einer Agentur, die Au-pairs in die ganze Welt vermittelt, findest du einen Bericht von Luisa über ihre Erfahrungen in einer Gastfamilie in Melbourne in Australien.

Lies zuerst die Aufgaben 15–20. Du hast dafür eine Minute Zeit.

Höre dann Luisas Erfahrungsbericht. Löse die Aufgaben beim Hören. Kreuze bei jeder Aufgabe die richtige Lösung (A oder B oder C) an.

Danach hörst du den Erfahrungsbericht noch einmal.

Aufgaben 15 – 20

15 Nach langem Warten

A ☐ bekam Luisa eine Au-pair-Stelle in Australien.

B ☐ konnte Luisa sich als Au-pair bewerben.

C ☐ erhielt Luisa einen Anruf aus Australien.

16 In Australien hat Luisa

A ☐ in einer einfachen Wohnung gelebt.

B ☐ mitten in Melbourne gelebt.

C ☐ neue Freunde kennengelernt.

17 In Deutschland hat Luisa

A ☐ Kontakt zu ihren Freunden in Australien.

B ☐ schon Besuch aus Australien gehabt.

C ☐ ein Paket von ihrer Freundin bekommen.

18 In ihrer Gastfamilie musste Luisa

A ☐ die Töchter jeden Tag in die Schule bringen.

B ☐ auch am Wochenende kochen.

C ☐ sich vor allem um die Kinder kümmern.

> *Aufgabe jetzt noch nicht lösen, erst das Basistraining bearbeiten!*

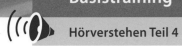
19 Die Gasteltern

     A ☐ behandelten Luisa wie eine richtige Tochter.

     B ☐ hatten eine schwierige Zeit mit Luisa.

     C ☐ diskutierten ihre Familienkrise mit Luisa.

20 Der Aufenthalt in Australien war

     A ☐ nur mithilfe der Eltern möglich.

     B ☐ für Luisa eine wichtige Erfahrung.

     C ☐ ein einziger Traum für Lisa.

Hörverstehen Teil 4: Basistraining

Dieser Prüfungsteil ist nicht leicht. Du hast wenig Zeit, die Aufgaben durchzulesen, bevor der Hörtext beginnt. Außerdem musst du dich beim Hören sofort entscheiden. Es gibt keine Pausen, in denen du über deine Entscheidung nachdenken kannst. Erst beim zweiten Hören kannst du überprüfen, ob deine Lösungen wirklich alle richtig sind.

Wie bei den vorangehenden Prüfungsteilen wird der Ablauf auf die Sekunde genau durch den Sprecher oder die Sprecherin auf der CD bestimmt.

Hier im Basistraining werden wir uns aber mehr Zeit lassen, damit du diesen Prüfungsteil gut kennen-lernst.

Schritt 1: Höre und lies die Einleitung.

Sobald die CD startet, hörst du die Einleitung zu diesem Prüfungsteil. Die Einleitung enthält wieder wichtige Informationen. Erst wird die Situation beschrieben, auf die sich der Hörtext bezieht. Dann wird gesagt, was du machen musst. In den meisten Fällen verbindest du mit der beschriebenen Situation bestimmte Erwartungen. Hier im Übungstest geht es um den Aufenthalt von Luisa als Au-pair in Australien.

 Übung 1

Höre und lies die Einleitung. Worüber könnte Luisa vielleicht berichten? Notiere.

> **Teil 4: Ein Jahr in Australien**
>
> Auf der Internetseite einer Agentur, die Au-pairs in die ganze Welt vermittelt, findest du einen Bericht von Luisa über ihre Erfahrungen in einer Gastfamilie in Melbourne in Australien.
>
> Lies zuerst die Aufgaben 15–20. Du hast dafür eine Minute Zeit.

Nachdem du die Beschreibung der Situation gehört hast, sollst du die Aufgaben 15–20 lesen. Für das Lesen hast du nur eine Minute Zeit. Da es insgesamt sechs Aufgaben mit je drei Auswahlmöglichkeiten gibt, ist das nicht viel.

Schritt 2: Markiere alle wichtigen Informationen in den Aufgaben und erkenne das Thema.

Bevor der Hörtext beginnt, musst du alle wichtigen Informationen in den Aufgaben markieren und dir bewusst machen, worum es in jeder Aufgabe geht.

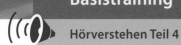
Jede Aufgabe hat ein „Thema", das musst du erkennen und in Gedanken kurz beschreiben, wie in dem folgenden Beispiel:

15 Nach (langem) Warten

    A ☐ bekam Luisa eine Au-pair-Stelle in Australien.

    B ☐ konnte Luisa sich als Au-pair bewerben.

    C ☐ erhielt Luisa einen Anruf aus Australien.

Thema: *die Zeit, bevor Luisa als Au-pair nach Australien ging, und dass, was nach dem*

langen Warten passierte

Übung 2

Bearbeite die Aufgaben 16 – 20 wie im Beispiel.

16 In Australien hat Luisa

    A ☐ in einer einfachen Wohnung gelebt.

    B ☐ mitten in Melbourne gelebt.

    C ☐ neue Freunde kennengelernt.

Thema: _____

_____

17 In Deutschland hat Luisa

    A ☐ Kontakt zu ihren Freunden in Australien.

    B ☐ schon Besuch aus Australien gehabt.

    C ☐ ein Paket von ihrer Freundin bekommen.

Thema: _____

_____

18 In ihrer Gastfamilie musste Luisa

A ☐ die Töchter jeden Tag in die Schule bringen.

B ☐ auch am Wochenende kochen.

C ☐ sich vor allem um die Kinder kümmern.

Thema: _____

_____

19 Die Gasteltern

A ☐ behandelten Luisa wie eine richtige Tochter.

B ☐ hatten eine schwierige Zeit mit Luisa.

C ☐ diskutierten ihre Familienkrise mit Luisa.

Thema: _____

_____

20 Der Aufenthalt in Australien war

A ☐ nur mithilfe der Eltern möglich.

B ☐ für Luisa eine wichtige Erfahrung.

C ☐ ein einziger Traum für Lisa.

Thema: _____

_____

In der richtigen Prüfung hast du natürlich keine Zeit, lange darüber nachzudenken und aufzuschreiben, was du von einer bestimmten Situation erwartest. Das machen wir nur hier im Training,
um dein Textverstehen zu trainieren.

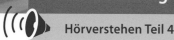
Übung 3

Welche Inhalte hattest du schon in Übung 1 erwartet? Notiere.

👣 Schritt 3: Höre den Text und löse die Aufgaben beim ersten Hören.

Nach der kurzen Bearbeitungszeit für die Aufgaben beginnt sofort der Hörtext. Höre mit Konzentration zu. Erinnere dich bei jeder Aufgabe an die wichtigen Informationen und das Thema.

Übung 4

a   Schaue dir noch einmal Aufgabe 15 an. Erinnere dich an die wichtigen Informationen (oder markiere sie noch einmal).

> **15** Nach langem Warten
>
> A ☐   bekam Luisa eine Au-pair-Stelle in Australien.
>
> B ☐   konnte Luisa sich als Au-pair bewerben.
>
> C ☐   erhielt Luisa einen Anruf aus Australien.

b   Worum geht es in dieser Aufgabe? Notiere Stichwörter.

langes Warten – Bewerbung – Au-pair-Stelle – Australien

 c   Starte die CD und drücke auf die Pausentaste, wenn ein Inhalt beginnt, der nichts mehr mit Aufgabe 15 zu tun hat.

d   Worum geht es in diesem Teil des Hörtextes? Notiere Stichwörter.

e   Vergleiche deine Stichwörter aus b mit den Stichwörtern zur Textstelle d. Entscheide, welche Aussage (A, B oder C) richtig ist und kreuze sie an.

Das ist sicher nicht einfach gewesen. Deswegen haben wir hier den Text zu Aufgabe 15 abgedruckt. Du kannst ihn mit deiner Lösung vergleichen.

> *Das war eine tolle Zeit, ich kann wirklich sagen, ich hatte das beste Jahr in meinem Leben, auch wenn es nicht immer einfach war und die eine oder andere Träne geflossen ist! Ich habe mich 2009 beworben, und als ich schon gar nicht mehr damit gerechnet hatte, kam überraschend ein Anruf von der Agentur für Au-pairs in Stuttgart, eine Familie aus Australien hatte ihre Zusage gegeben. Alles schien perfekt!*

In der richtigen Prüfung kannst du den Text natürlich nicht mitlesen und es gibt keine Pausen. Stattdessen musst du dich für eine Antwort entscheiden, während du den Text hörst. Da der Hörtext ohne Unterbrechung weitergeht, hast du nicht viel Zeit für deine Entscheidung. Spätestens dann, wenn ein neuer Inhalt beginnt, musst du dein Kreuz machen, denn jetzt musst du dich auf den neuen Inhalt konzentrieren.

 28-33 **Übung 5**

Gehe zum Übungstest auf Seite 55/56. Höre den ganzen Text und bearbeite alle Aufgaben noch einmal.

– Markiere alle wichtigen Informationen in den Aufgaben und erkenne das Thema.
– Höre den Text und löse die Aufgaben beim ersten Hören.

> **MEMO**_____
>
> *Schon beim ersten Hören bei jeder Aufgabe ein Kreuz machen.*

Schritt 4: Überprüfe deine Lösungen beim zweiten Hören.

34 Nach dem ersten Hören gibt es eine kurze Pause von etwa zehn Sekunden. Dann hörst du den Hörtext zum zweiten Mal. Auch beim zweiten Hören gibt es keine Pausen zum Ankreuzen. Du musst dich wieder sofort entscheiden, wenn du deine erste Entscheidung korrigieren möchtest. Aber denke auch daran, dass die erste, spontane Entscheidung meistens schon richtig ist. Also verbessere nur dann, wenn du ganz sicher bist, dass du im ersten Durchgang einen Fehler gemacht hast.

> **MEMO**_____
>
> *Bei jeder Aufgabe eine Aussage (und nicht mehr!) ankreuzen.*

Nach dem zweiten Hören gibt es noch einmal eine kurze Pause von ungefähr zehn Sekunden. Dann geht es sofort weiter mit *Hörverstehen Teil 5*. Du hast also keine Zeit mehr, deine Lösungen nach dem zweiten Hören noch einmal zu überdenken. Die zehn Sekunden reichen gerade, um einmal tief Luft zu holen.

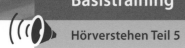
Teil 5: Wie waren die Ferien?

> *Aufgabe jetzt noch nicht lösen, erst das Basistraining bearbeiten.*

Auf der Webseite der Schule berichten Schüler in Podcasts über ihre Ferien. Du hörst gleich vier kurze Berichte von Schülern.

Lies zuerst die Liste mit den verschiedenen Aussagen (A–H). Du hast dafür 30 Sekunden Zeit.

Notiere beim Hören zu jedem Bericht den richtigen Buchstaben (A–H).

Vier Buchstaben bleiben übrig.

Achtung! Du hörst die Berichte nur **einmal**. Zuerst hörst du ein Beispiel.

Das Beispiel hat die Nummer **0**. Die Lösung ist **Z**.

Jetzt hörst du die anderen Berichte.

Z	Deutsches Essen ist mir lieber
A	Ferien zu Hause
B	Mit dem Mountainbike auf einen Berg
C	Regen an der Ostsee
D	Eine Radtour durch die Alpen
E	Ich glaube, ich habe mich verliebt
F	Mal wieder Urlaub im Stau
G	Ferien ohne Sonne
H	Jeden Abend Disco

Aufgabe	Buchstabe
0	Z
21	
22	
23	
24	

Hörverstehen Teil 5: Basistraining

Wie bei allen vorangegangenen Prüfungsteilen im Hörverstehen wird auch der Ablauf im Hörverstehen Teil 5 auf die Sekunde genau durch die CD gesteuert.

Hier im Basistraining werden wir uns aber mehr Zeit lassen, damit du diesen Prüfungsteil gut kennenlernen kannst.

👣 Schritt 1: Höre und lies den ersten Teil der Einleitung.

Zuerst hörst du die Einleitung zu diesem Prüfungsteil. Zunächst wird immer eine bestimmte Situation beschrieben. In manchen Tests geht es um Themen, zu denen es verschiedene Meinungen gibt, in anderen Tests geht es um die Vorstellung von Büchern oder Aktivitäten während der Projektwoche. Dann wird gesagt, was du zuerst machen musst.

 Übung 1

Höre und lies den Anfang der Einleitung. Welche Informationen bekommst du? Notiere.

> **Teil 5: Wie waren die Ferien?**
>
> Auf der Webseite der Schule berichten Schüler in Podcasts über ihre Ferien. Du hörst gleich vier kurze Berichte von Schülern.

Personen: _____

Ort: _____

Thema: _____

Art der Texte: _____

Diese Informationen bereiten dich auf die Inhalte der folgenden Hörtexte vor. In der richtigen Prüfung hast du natürlich keine Zeit, diese Informationen alle zu notieren. Du musst sie beim Hören und Lesen der Einleitung sofort verstehen.

 Übung 2

Höre nun, wie die Einleitung weitergeht. Welche Informationen bekommst du? Notiere.

Wenn der erste Teil der Einleitung beendet ist, hast du 30 Sekunden, die Aufgaben (A–H) zu lesen. In unserem Test sind das sehr kurze Aussagen über Erfahrungen in den Ferien.

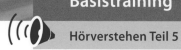
👣 Schritt 2: Markiere die wichtigen Informationen in den Aufgaben.

Da die Aussagen so kurz sind, ist eigentlich jedes Wort wichtig. Trotzdem ist es sinnvoll, die Schlüssel-wörter in jeder Aussage zu markieren. Meistens sind es nur ein bis zwei Wörter. Am besten kreist du diese Wörter ein. Bei kurzen Sätzen kann man das besser erkennen als Unterstreichungen.

Übung 3

Markiere die wichtigen Informationen in diesen Aussagen.

A	Ferien zu Hause
B	Mit dem Mountainbike auf einen Berg
C	Regen an der Ostsee
D	Eine Radtour durch die Alpen
E	Ich glaube, ich habe mich verliebt
F	Mal wieder Urlaub im Stau
G	Ferien ohne Sonne
H	Jeden Abend Disco

MEMO

Wichtige Wörter ein-kreisen.

👣 Schritt 3: Höre und lies den zweiten Teil der Einleitung.

Nachdem du die Aussagen gelesen und die wichtigen Informationen markiert hast, hörst du den zweiten Teil der Einleitung und kannst ihn auch mitlesen. In diesem Teil der Einleitung wird be-schrieben, was du beim Hören der Texte tun sollst.

Notiere beim Hören zu jedem Bericht den richtigen Buchstaben (A–H).

Vier Buchstaben bleiben übrig.

Achtung! Du hörst jeden Bericht nur **einmal**. Zuerst hörst du ein Beispiel.
Das Beispiel hat die Nummer **0**. Die Lösung ist **Z**.

👣 Schritt 4: Höre die Texte und ordne jedem Text eine Aussage zu.

Im Hörverstehen Teil 5 hörst du alle Texte nur einmal. Außerdem stimmt die Reihenfolge, in der die Texte zu hören sind, nicht mit der Reihenfolge der Aussagen im Prüfungsbogen überein. Das macht diesen Prüfungsteil schwierig.

MEMO

Aussagen und Hörtexte stehen <u>nicht</u> in derselben Reihenfolge.

Du musst dich also sehr auf die Texte konzentrieren und nach jedem Text sofort entscheiden. Dafür hast du zehn Sekunden Zeit. Das ist nicht sehr viel. Und du hast keine Chance, deine Entscheidung bei einem zweiten Hören zu korrigieren.

> **MEMO**
>
> *Im Hörverstehen Teil 5 hörst du die Texte nur einmal.*

Hier im Basistraining machen wir das in kleinen Schritten. Wenn du willst, kannst du die Texte auch mehrfach anhören, bevor du dich entscheidest.

 Übung 4

Höre Aufgabe 21. Welche Aussagen könnten passen? Kreuze sie an.

A	Ferien zu Hause
B	Mit dem Mountainbike auf einen Berg
C	Regen an der Ostsee
D	Eine Radtour durch die Alpen
E	Ich glaube, ich habe mich verliebt
F	Mal wieder Urlaub im Stau
G	Ferien ohne Sonne
H	Jeden Abend Disco

Wie du siehst, gibt es zwei Aussagen, die zu dem Text passen könnten. Bei Aufgabe 21 sind es die Aussagen B und D. Zu allen Texten gibt es immer mindestens zwei Aussagen, die passen könnten.

Du musst also genau hinhören, um den Text richtig zuzuordnen. Das ist nicht einfach. Deswegen haben wir den Hörtext hier abgedruckt.

 Übung 5

Höre Aufgabe 21 noch einmal und lies mit. Vergleiche den Text dann mit den Aussagen B und D. Warum kann nur Aussage D richtig sein?

> *Ich weiß gar nicht mehr, wer die Idee hatte, mit dem Fahrrad nach Italien zu fahren. Dass dazwischen die Alpen liegen, hat wohl niemand gewusst. Eine Woche bergauf und bergab. So viel habe ich noch nie geschwitzt.*

Zu Aufgabe 21 passt nur Aussage D, weil _____

_____

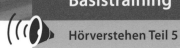
In der richtigen Prüfung ist ganz wichtig, dass du dich nach jedem Text sofort für eine Aussage entscheidest. Auch dann, wenn du nicht sicher bist. Du hast nur diese eine Chance, nutze sie. Vielleicht hast du ja Glück.

Es ist auch sinnvoll, Aussagen, die du zugeordnet hast, im Prüfungsbogen durchzustreichen. Aber nur vorsichtig, denn sie müssen bis zum Schluss lesbar bleiben. Vielleicht hast du dich ja einmal geirrt.

MEMO_____

*Zugeordnete Aussagen
vorsichtig durchstreichen.*

 Übung 6

Höre Aufgabe 22. Welche Aussage passt? Schreibe den Buchstaben in die Tabelle und streiche die Aussage durch.

A	Ferien zu Hause	
B	Mit dem Mountainbike auf einen Berg	
C	Regen an der Ostsee	
D	Eine Radtour durch die Alpen	
E	Ich glaube, ich habe mich verliebt	
F	Mal wieder Urlaub im Stau	
G	Ferien ohne Sonne	
H	Jeden Abend Disco	

Aufgabe	Buchstabe
0	Z
21	
22	
23	
24	

MEMO_____

Nach jedem Hörtext immer sofort einen Buchstaben in die Lösungstabelle eintragen.

Wenn dir das zu schwer ist, ist die nächste Übung ganz wichtig für dich. Wenn du keine Probleme hattest, kannst du gleich mit Übung 8 weitermachen.

Übung 7

Höre Aufgabe 22 noch einmal und lies mit. Trage dann den passenden Buchstaben in die Lösungstabelle bei Übung 6 ein und streiche die Aussage durch.

> *Regen, Regen und nochmals Regen. So habe ich mir die Ferien nicht vorgestellt. Aber meine Eltern wollten ja unbedingt nach Österreich und in die Berge. Schöne Landschaft, klar, wenn man sie sehen kann. Aber meistens hatte sie sich hinter schwarzen Wolken versteckt.*

 Übung 8

Gehe zum Übungstest auf Seite 62. Höre alle Berichte und ordne den Aufgaben eine Aussage zu. Wenn du willst, kannst du die Texte im Lösungsheft auf Seite 4 auch mitlesen.

In der richtigen Prüfung kannst du die Texte natürlich nicht mitlesen. Da hörst du sie nur und hast nur eine Chance, die richtige Aussage zuzuordnen. Nutze sie!

MEMO_____

Du hast nur eine Chance, nutze sie.

Anders als in den vorangegangenen Prüfungsteilen zum Hörverstehen gibt es beim Hörverstehen Teil 5 keinen zweiten Durchgang und damit keine Möglichkeit, deine Entscheidungen zu korrigieren.

Schriftliche Kommunikation: Übersicht

Im Prüfungsteil *Schriftliche Kommunikation* musst du einen Aufsatz schreiben. In dem Aufsatz geht es um ein bestimmtes Thema. Es ist immer ein Thema aus deinem Lebensbereich. In deinem Aufsatz musst du drei Aufgaben bearbeiten:

- Du musst die Meinungen von anderen Personen zu diesem Thema in deinen Worten wiedergeben.
- Du musst über deine eigenen Beobachtungen und Erfahrungen berichten.
- Du musst sagen, was du zu diesem Thema meinst, und deine Meinung ausführlich begründen.

Die Länge des Textes ist nicht vorgeschrieben. Aber für einen guten Aufsatz brauchst du ungefähr 250 Wörter bis 350 Wörter.

Dieser Prüfungsteil dauert 75 Minuten.

Für den Aufsatz kannst du maximal 24 Punkte bekommen:

Gesamteindruck		Sprachliche Mittel	
	max. 3 Punkte	Wortschatz	max. 3 Punkte
		Strukturen	max. 3 Punkte
Inhalt		Korrektheit	
Wiedergabe	max. 3 Punkte	grammatische Korrektheit	max. 3 Punkte
eigene Erfahrungen	max. 3 Punkte	orthografische Korrektheit	max. 3 Punkte
eigene Meinungen	max. 3 Punkte		

Um das Niveau B1 zu erreichen, brauchst du mindestens 12 Punkte. Um das Niveau A2 zu erreichen, brauchst du mindestens 8 Punkte.

Die verschiedenen Aufgaben sind nicht nummeriert. Du kannst selbst entscheiden, in welcher Reihenfolge du sie bearbeitest oder miteinander verbindest.

Deine Meinung wird nicht bewertet. Du darfst also sagen, was du für richtig hältst. Es ist aber wichtig, dass du deine Meinung gut erklärst und gute Beispiele findest.

Es gibt zwar Punkte für die grammatische Korrektheit, es ist aber wichtiger, dass deine Formulierungen gut zu verstehen sind. Das gilt auch für Rechtschreibung und Zeichensetzung. Wenn du mal ein Komma vor einem Nebensatz vergisst, ist das nicht so schlimm. Wenn du aber nie ein Komma vor einen Nebensatz setzt, dann ist das ein Grund, dir einen Punkt weniger zu geben. Es lohnt sich also, auch darauf zu achten.

Während der Prüfung darfst du ein einsprachiges und/oder zweisprachiges Wörterbuch benutzen.

Aufgabe

Thema: Schuluniformen

MEMO_____

Aufgabe nur lesen, noch nicht lösen. Zuerst das Basistraining bearbeiten.

In einem Internetforum gibt es eine Diskussion zum Thema „Schuluniformen".

Du findest in diesem Forum folgende Aussagen:

Judith: Ich finde Schuluniformen gut. Da sieht man nicht auf den ersten Blick, ob die Eltern viel oder wenig Geld haben. Bei Schuluniformen sind alle Schüler gleich.

Marco: Kleidung ist für mich sowieso nicht wichtig. Meistens habe ich Jeans und eine einfache Jacke an. Da kann ich auch eine Schuluniform tragen. Das macht keinen Unterschied.

Benno: Schuluniformen kosten doch nur zusätzlich Geld. Außer in der Schule wird niemand die Uniformen tragen. Die hängen dann nutzlos im Schrank.

Miriam: Für mich ist Kleidung eigentlich nicht so wichtig. Aber ich will mich auch nicht kleiden wie alle anderen. Die Sachen müssen nicht teuer sein, aber sie sollen schon zu mir und meinem Typ passen.

Schreibe nun einen **Beitrag für die Schülerzeitung** deiner Schule.

Bearbeite in deinem Beitrag die folgenden drei Punkte:

- Gib die vier Meinungen aus dem Internetforum **mit eigenen Worten** wieder.
- Wie ist das in deiner Schule / deinem Land? Berichte **ausführlich**.
- Was denkst du über Schuluniformen? Begründe deine Meinung **ausführlich**.

Du hast insgesamt **75 Minuten** Zeit.

Du brauchst die Wörter **nicht** zu zählen!

...che Kommunikation: Basistraining

In diesem Prüfungsteil musst du einen zusammenhängenden Text zu einem bestimmten Thema schreiben. In diesem Aufsatz geht es vor allem darum,

- andere Meinungen zum Thema zu verstehen,
- die anderen Meinungen in eigenen Worten richtig wiederzugeben,
- ausführlich über eigene Beobachtungen zu berichten,
- die eigene Meinung zu formulieren und gut zu begründen,
- richtiges Deutsch zu schreiben und
- einen passenden Wortschatz zu verwenden.

Das sind alles Dinge, die du in den letzten Jahren im Deutschunterricht gelernt hast. Und jetzt hast du die Chance, das alles noch einmal gründlich zu wiederholen. Dafür hast du noch ungefähr ein halbes Jahr Zeit. Dann kann auch der Aufsatz im Sprachdiplom gut werden.

Schritt 1: Mach dir Gedanken zu wichtigen Themen.

Für eine gute Vorbereitung auf die Prüfung musst du rechtzeitig über die Themen nachdenken, die immer wieder im Sprachdiplom vorkommen. Das sind zum Beispiel Schule, Freizeit, Probleme von Jugendlichen, Freunde u. Ä. Themen könnten z. B. sein:

1 -
- Wozu brauchen wir Hausaufgaben?
- Immer mehr Schüler kommen zu spät
- Lesen ist wichtig
- Gewalt im Fernsehen
- Magst du Haustiere?
- Ferienjobs, pro und contra

> **MEMO**_____
> *Rechtzeitig über die Themen im Sprachdiplom nachdenken.*

Oft werden die Themen in der Prüfung nur mit einem Wort beschrieben, zum Beispiel:

- Lesen
- Zuspätkommen
- Nebenjobs/Ferienjobs
- Haustiere

Es geht immer um Themen, zu denen es unterschiedliche Meinungen gibt. Und es ist deine Aufgabe, deine Meinung zu beschreiben und zu begründen. Deswegen solltest du dir schon lange vor der Prüfung Gedanken zu möglichen Themen machen und eine eigene Meinung bilden.

> **MEMO**_____
> *Rechtzeitig eine eigene Meinung zu möglichen Themen bilden.*

Sinnvoll ist es auch, die Themen hier im Prüfungstrainer genauer anzuschauen und dich mit den so genannten „Sternchenthemen" auf das Sprachdiplom vorzubereiten. Im PASCH-Net (http://www.pasch-net.de/pas/cls/leh/unt/dst/deindex.htm) findest du viele Texte und andere Materialien, die für das Niveau A2/B1 passen.

> **MEMO**_____
> *Mit den „Sternchenthemen" im Internet arbeiten.*

Sammle wichtige Informationen aus diesen Texten. Dafür kannst du dir folgende Fragen stellen und sie in Stichworten schriftlich beantworten. Notiere alle Informationen in einem Arbeitsheft.

- Welche wichtigen Informationen enthalten die Texte zum Thema?
- Was für persönliche Erfahrungen habe ich mit diesem Thema gemacht?
- Was für Beobachtungen habe ich gemacht?
- Welche konkreten Beispiele kenne ich?
- Was für eine Meinung habe ich zu diesem Thema?
- Wie kann ich meine Meinung begründen?
- Wie kann ich meine Meinung veranschaulichen?

Die Fragen zeigen, dass du deine Meinung gut begründen und mit konkreten Beispielen veranschaulichen musst.

Natürlich solltest du auch deinen Lehrer / deine Lehrerin fragen, wie du dich am besten auf die Themen im Sprachdiplom vorbereiten kannst.

Schritt 2: Arbeite an deinem Wortschatz.

Ohne passende Wörter kannst du keinen guten Aufsatz schreiben. Also arbeite systematisch an deinem Wortschatz und vergrößere ihn.

MEMO
Wortschatz systematisch vergrößern und üben.

Wenn du dich mit einem Thema befasst, lies dazu mehrere verschiedene Texte. Sammle die neuen Wörter in deinem Wörterheft oder einer Wortschatzkartei. Vergiss nicht, diese Wörter regelmäßig zu wiederholen.

MEMO
Mit Wörterheft oder Wortschatzkartei arbeiten und Wortschatz regelmäßig wiederholen.

Neben dem thematischen Wortschatz ist auch der Strukturwortschatz sehr wichtig. Das sind Formulierungen, die du immer wieder brauchst, um einen Gedanken einzuleiten oder mit einem anderen Gedanken zu verbinden. Diese Art von Wortschatz kannst du hier im Trainer kennenlernen und/oder vergrößern. Für passende Strukturen gibt es bis zu 3 Punkte in der schriftlichen Prüfung.

Das sind alles wichtige Schritte bei der Vorbereitung auf die Prüfung. Und nun zur richtigen Prüfung.

Schritt 3: Lies die Aufgabenstellung genau durch.

Am Anfang der Aufgabe steht immer das Thema. Dieses Thema ist immer aus einem Internetforum.

Thema: Schuluniformen

In einem Internetforum gibt es eine Diskussion zum Thema „Schuluniformen".

Übung 1

Unterstreiche das Thema im Übungstest auf Seite 69.

Danach findest du vier Aussagen von anderen Personen zum Thema. In unserem Beispiel sind das die Aussagen von Judith, Marco, Benno und Miriam. Die Texte mit den Aussagen kannst du erst überspringen und später lesen.

Unter den Aussagen steht, was du machen musst:

> Schreibe nun einen **Beitrag für die Schülerzeitung deiner** Schule.
>
> Bearbeite in deinem Beitrag die folgenden drei Punkte:
>
> * Gib die vier Meinungen aus dem Internetforum **mit eigenen Worten** wieder.
> * Wie ist das in deiner Schule / deinem Land? Berichte **ausführlich**.
> * Was denkst du über Schuluniformen? Begründe deine Meinung **ausführlich**.

Du musst also immer einen Beitrag für deine Schülerzeitung schreiben. In der ersten Aufgabe musst du die vier Meinungen aus dem Internetforum mit eigenen Worten wiedergeben. Die beiden anderen Aufgaben musst du genau lesen. Sie hängen vom Thema ab. Du kannst die wichtigen Begriffe in den Aufgaben unterstreichen.

Übung 2

Gehe zum Übungstest auf Seite 69 und unterstreiche die wichtigen Begriffe in den Aufgaben zu deinem Beitrag.

Obwohl es in jeder Prüfung ein neues Thema gibt, musst du immer dasselbe tun.

Wie das alles geht, erfährst du in den folgenden Schritten.

Schritt 4: Markiere die wichtigen Informationen in den vier Aussagen.

Du kannst die Aussagen der anderen zum Thema nur richtig wiedergeben, wenn du sie verstanden hast. Dazu musst du die Texte genau lesen und die wichtigen Informationen markieren. Mache das so wie im Leseverstehen (S. 16).

Übung 3

Gehe zum Übungstest auf Seite 69 und markiere in der Aussage von Judith die wichtigen Informationen.

Da die Aussagen alle sehr kurz sind, sind fast alle Inhalte wichtig. Denk daran, dass es normalerweise in jeder Aussage zwei inhaltlich wichtige Punkte gibt.

Notiere dir auch, ob die Personen „für" oder „gegen" die Sache sind, um die es geht. Manchmal sind sie sich auch nicht sicher oder es ist ihnen egal.

MEMO_____

Bei jeder Person notieren:
dafür, dagegen, nicht
sicher, egal.

Übung 4

Gehe noch einmal zum Übungstest auf Seite 69 und markiere die wichtigen Informationen in den anderen Aussagen. Notiere zu jeder Person auch: dafür, dagegen, nicht sicher, egal.

Für das Lesen der Aufgabe und das Unterstreichen der wichtigen Informationen solltest du in der richtigen Prüfung nicht mehr als 5 Minuten verwenden. Hier im Prüfungstrainer kannst du dir so viel Zeit nehmen, wie du brauchst.

Schritt 5: Sammle eigene Beobachtungen zum Thema.

Nachdem du dich mit den Meinungen der anderen befasst hast, geht es jetzt um deine eigenen Beobachtungen zum Thema.

In der Prüfungsaufgabe heißt es dazu:

> • Wie ist das in deiner Schule / deinem Land? Berichte ausführlich.

Diese Aufgabe ist immer eine Frage. Lies die Frage genau. Sie hat immer mit dem Thema zu tun und bezieht sich auf deine persönlichen Beobachtungen.

MEMO_____

Frage zu den eigenen
Beobachtungen genau
lesen.

Notiere alles, was dir zur Frage einfällt, auch Beobachtungen, die vielleicht nicht so wichtig sind. Du kannst sie später wieder weglassen.

MEMO_____

Alles notieren, was
wichtig ist oder sein
könnte.

Übung 5

Lies noch einmal die Prüfungsfrage zum Thema Schuluniformen. Notiere alles, was dir zu dieser Frage einfällt, auch Beobachtungen, die vielleicht nicht so wichtig sind.

Wenn dir selbst nicht so viel einfällt, lies noch einmal die Meinungen der anderen. Überlege kurz, ob du ähnlich denkst oder andere Beobachtungen gemacht hast. Notiere dann deine eigenen Beobachtungen, Erfahrungen und Beispiele, z. B. so:

MEMO_____

Auch notieren, was du über die anderen Meinungen denkst und warum.

(zu Miriam): richtig! – es gibt wichtigere Sachen in der Schule – zum Beispiel …
Schuluniformen: sehr/zu teuer … kosten bei uns …
unsere Schuluniformen: nicht schön/altmodisch … Bei uns müssen … Bei uns werden
… Ich muss zum Beispiel …
Uniformen nur in der Schule … in der Freizeit ganz anders gekleidet: …
Ich würde lieber:

Übung 6

Gehe noch einmal zum Übungstest auf Seite 69. Notiere deine eigenen Beobachtungen, Erfahrungen und Beispiele zu den Meinungen der anderen.

Für die Sammlung deiner eigenen Beobachtungen, Erfahrungen und Beispiele solltest du nicht mehr als 10 Minuten verwenden.

Schritt 6: Sammle Argumente für deine Meinung.

Im letzten Teil deines Aufsatzes musst du deine eigene Meinung formulieren und begründen. Lies dazu noch einmal die Aufgabenstellung:

* Was denkst du über Schuluniformen? Begründe deine Meinung ausführlich.

Überleg dir zuerst, welche Meinung du hast: „dafür", „dagegen", „nicht sicher" oder „egal" und notiere sie. Suche dann nach guten Argumenten für deine Position. Dabei kannst du auch die Meinungen der anderen und deine Beobachtungen aus Schritt 5 berücksichtigen.

MEMO_____

Eigene Meinung notieren: dafür, dagegen, nicht sicher, egal.

Ich bin für Schuluniformen, denn:
– Alle sehen gleich aus und niemand …
– Sie sind praktisch.
– Sie stärken das Gefühl, dass …
– …

> Ich bin gegen Schuluniformen, denn:
> – Sie sind teuer.
> – Sie sind hässlich.
> – Ich will ...
> – Ich kann nicht ...

MEMO _____
Argumente für eigene Meinung suchen und notieren.

Übung 7

Entscheide dich für eine Möglichkeit (für oder gegen Schuluniformen) und ergänze die Liste der Begründungen im Beispiel oben.

Du kannst auch Punkte nehmen, die schon in den Meinungen der anderen oder in deinen eigenen Beobachtungen und Erfahrungen stehen. Diese Wiederholungen sind kein Problem, wenn du die drei Aufgaben nacheinander bearbeitest (vergleiche Schritt 7).

MEMO _____
Beobachtungen aus Schritt 5 eventuell wiederholen.

Für die Sammlung von weiteren Argumenten und Beispielen für die eigene Meinung solltest du in der richtigen Prüfung nicht mehr als 10 Minuten verwenden.

Für die Vorarbeiten zu deinem Beitrag für die Schülerzeitung (Schritt 3 bis 6) solltest du insgesamt nicht mehr als 30 Minuten verwenden.

👣 Schritt 7: Plane den Aufbau deines Beitrags für die Schülerzeitung.

Nachdem du mit den Vorarbeiten für deinen Beitrag fertig bist, schau dir noch einmal die Aufgabenstellung an:

> - Gib die vier Meinungen aus dem Internetforum mit eigenen Worten wieder.
> - Wie ist das in deiner Schule / deinem Land? Berichte ausführlich.
> - Was denkst du über Schuluniformen? Begründe deine Meinung ausführlich.

Du kannst die drei Aufgaben in einem zusammenhängenden Text hintereinander bearbeiten. Das ist der normale Weg. Die meisten Schüler und Schülerinnen machen das so.

Du kannst aber auch einen Text schreiben, in dem du die drei Aufgaben gleichzeitig bearbeitest. Das ist vielleicht etwas schwieriger, aber es ist für den Leser / die Leserin (und für die Prüferin / den Prüfer) meistens interessanter.

MEMO _____
Entscheiden: Aufgaben nacheinander oder gleichzeitig bearbeiten.

Wenn du die Aufgaben gleichzeitig bearbeitest, kannst du z. B. die Meinung von einer anderen Person wiedergeben und dann gleich dazu sagen, ob du auch so denkst oder nicht und warum. Hier ist ein Beispiel:

Miriam ist gegen Schuluniformen, weil sie … Ich sehe das genauso. Bei uns müssen wir auch … und das finde ich schlecht, denn …

Oder:

Miriam mag keine Schuluniformen, weil sie … Ich sehe das ganz anders. Bei uns müssen wir auch …, aber ich finde das gut, denn …

Übung 8

Entscheide dich für eines der beiden Beispiele und vervollständige es mit deinen eigenen Beobachtungen.

Wenn du alle Teile durchgearbeitet hast, überlege mit deinem Lehrer / deiner Lehrerin, welcher Weg für dich am besten ist.

Für die Planung deines Beitrags solltest du in der richtigen Prüfung nicht mehr als 5 Minuten verwenden.

🐾 Schritt 8: Formuliere den Anfang deines Beitrags für die Schülerzeitung.

Bevor du mit dem Schreiben beginnst, musst du noch entscheiden, ob du einen Leserbrief oder einen Artikel für deine Schülerzeitung schreiben möchtest.

> **MEMO**_____
>
> *Leserbrief oder Artikel schreiben.*

Wenn du dich für einen **Leserbrief** entscheidest, brauchst du immer eine **Anrede**.
Am besten beginnst du so:

- *Liebe Redaktion des/der (Name der Zeitung),*

- *Liebe Chefredakteurin / Lieber Chefredakteur des /der (Name der Zeitung),*

- *Liebe Leute/Macher von der Schülerzeitung,*

> **MEMO**_____
>
> *Im Leserbrief Anrede verwenden.*

Wenn du lieber einen **Artikel** schreiben möchtest, brauchst du **keine Anrede**.
Bei einem Artikel solltest du aber eine passende **Überschrift** finden, z. B.:

Schuluniformen, wozu brauchen wir die eigentlich?

Oder:

Wir brauchen Schuluniformen

> **MEMO**_____
>
> *Zu einem Artikel passende Überschrift finden.*

Ganz wichtig ist auch, dass du gleich am Anfang sagst, worum es geht und wo du die Meinungen gefunden hast. Du musst also Thema und Quelle nennen, z. B. so:

Vor kurzem habe ich in einem Internetforum ein interessantes Thema gefunden. Es ging um Schuluniformen. Ich finde, wir sollten dieses Thema auch einmal in unserer Schülerzeitung besprechen.
In dem Internetforum gab es vier verschiedene Meinungen ...

MEMO_____

Gleich am Anfang Thema und Quelle nennen.

Es gibt also Unterschiede und Gemeinsamkeiten bei Leserbrief und Artikel, auf die du achten musst.

Übung 9

Schreibe einen eigenen Anfang zu einem Leserbrief oder einem Artikel für eure Schülerzeitung. Orientiere dich an diesen Stichworten:

- Internetforum für Schülerinnen und Schüler
- Diskussion über Schuluniformen
- Thema sehr interessant
- Frage: Warum müssen wir Schuluniformen tragen?

Für die Formulierung des Anfangs solltest du in der richtigen Prüfung nicht mehr als 5 Minuten verwenden. Hier im Prüfungstrainer kannst du dir so viel Zeit nehmen, wie du brauchst.

Schritt 9: Gib die vier Meinungen in deinen Worten wieder.

Nach der Einleitung musst du die vier Meinungen in eigenen Worten wiedergeben. Die Meinungen der vier Personen stammen immer aus einem Internetforum. Es ist wichtig, dass du die Meinungen der Personen zum Thema vollständig wiedergibst. Bei der Wiedergabe der Meinungen musst du eigene Formulierungen verwenden.

Übung 10

Gehe noch einmal zum Übungstest auf Seite 69. Gib in eigenen Worten wieder, was Judith zum Thema sagt. Vergiss auch nicht den Hinweis: dafür, dagegen, nicht sicher oder egal.

In der richtigen Prüfung kannst du die Wiedergabe der Meinungen bereits auf die Aufgabenblätter schreiben. Diese Aufgabenblätter lernst du im Abschlusstraining kennen. Hier im Basistraining schreibe die Wiedergabe der Meinungen bitte auf Notizpapier.

Übung 11

Gehe wieder zum Übungstest auf Seite 69 und bearbeite die anderen Meinungen wie oben beschrieben.

Jetzt hast du die vier Meinungen in eigenen Worten wiedergegeben. Dabei hast du wahrscheinlich bemerkt, dass die Wiedergabe einer Meinung manchmal länger ist als der Originaltext. Das ist bei der Wiedergabe von sehr kurzen Texten normal und liegt vor allem an den so genannten strukturierenden Formulierungen:

*Benno ist gegen Uniformen, weil sie natürlich Geld kosten. Und er meint, dass es nicht sinn-
voll ist, so viel Geld auszugeben, weil die Schülerinnen und Schüler die Uniformen nur in der
Schule tragen und die meiste Zeit nicht benutzen und weil sie deswegen nur zu Hause herum-
hängen.*

Die strukturierenden Wendungen sind sehr wichtig. Sie zeigen, ob du den logischen Aufbau einer Aussage verstanden hast und ihre Bedeutung wiedergeben kannst.

Übung 12

Unterstreiche in der Wiedergabe von Miriams Meinung die strukturierenden Formulierungen:

*Miriam denkt ähnlich wie Marco. Auch für sie ist Kleidung nicht so wichtig. Sie ist aber gegen
Schuluniformen, weil dann alle gleich aussehen. Das will sie nicht. Sie will sich so kleiden, wie
es ihr gefällt und wie es zu ihr passt.*

Strukturierende Wendungen gehören zum Strukturwortschatz. Sie sind sich sehr ähnlich und du
kannst sie systematisch lernen. Hier findest du einige Beispiele:

eine Meinung haben / für etwas sein:
(auch) der Meinung sein, dass …
eine Meinung vertreten
wichtig sein für jemanden
von etwas überzeugt sein
(ganz) sicher sein, dass …

eine andere Meinung haben:
anderer Meinung sein
nicht der Meinung sein, dass …
gegen etwas sein
etwas anders sehen
etwas nicht gut/richtig finden

etwas ablehnen:
gegen etwas sein
nicht wollen, dass …
etwas für falsch halten

etwas ablehnen
etwas nicht wollen, weil …
anderer Meinung sein
eine andere Meinung vertreten
der Meinung sein, dass etwas falsch ist, weil …

jemandem zustimmen:
derselben Meinung sein
auch dieser Meinung sein
auch diese Meinung vertreten
auch meinen/denken, dass …
nichts dagegen haben, dass …
nichts gegen … haben

etwas beurteilen:
etwas gut/schlecht/besser finden
etwas lieber mögen

Achte auch darauf, dass es ähnliche und unterschiedliche Meinungen gibt. Auch dafür brauchst du
strukturierende Formulierungen:

Formulierungen für zwei ähnliche Meinungen:

Ähnlich/Genau wie … ist auch … der Meinung, dass …
Auch … ist davon überzeugt, dass …
Nicht nur … ist gegen/für …, sondern auch … . Er/Sie sagt, dass …

MEMO_____

*Ähnliche Meinungen
einander zuordnen.*

Formulierungen für unterschiedliche Meinungen:

Anders als … ist … der Meinung, dass …
Im Gegensatz zu … vertritt … die Meinung, dass …

Ähnliche Meinungen solltest du einander zuordnen und direkt nacheinander wiedergeben.

> **MEMO_____**
>
> *Ähnliche Meinungen direkt nacheinander wiedergeben.*

Übung 13

Schreibe die Wiedergabe der Meinungen noch einmal. Achte dabei auf passende strukturierende Formulierungen. Du kannst so anfangen:

In der Schülerzeitung gibt es zwei Leserbriefe, in denen die Schülerinnen und Schüler gegen Schuluniformen sind. Benno ist zum Beispiel gegen Uniformen, … Auch Miriam …

> **MEMO_____**
>
> *In den Wiedergaben strukturierende Formulierungen benutzen.*

Übung 14

Schau dir noch einmal an, wie du die Meinungen wiedergegeben hast. Überarbeite deine Texte so lange, bis du sicher bist, dass du:

- die Meinungen inhaltlich richtig wiedergegeben hast,
- die Inhalte in eigenen Worten wiedergegeben hast,
- die Meinungen vollständig wiedergegeben hast,
- passende strukturierende Formulierungen benutzt hast.

> **MEMO_____**
>
> *Die Wiedergaben genau mit den Originaltexten vergleichen.*

Für die Wiedergabe der vier Meinungen solltest du in der richtigen Prüfung nicht mehr als 10 Minuten verwenden.

👣 Schritt 10: Berichte über deine eigenen Beobachtungen.

In Schritt 5 hast du eigene Beobachtungen zum Thema gesammelt. Diese Beobachtungen und Beispiele musst du jetzt in einem Bericht ausformulieren, zum Beispiel so:

Auch bei uns in … sind Schuluniformen Pflicht. Obwohl wir eine Deutsche Schule sind und es in Deutschland … Ein deutscher Austauschschüler hat mir einmal seine Klassenfotos gezeigt: Jeder zieht sich dort so an, … Hier bei uns ist das ganz anders: … Bei uns müssen die Mädchen auch im Winter … Und die Jungen müssen … Das steht so in der Schulordnung. Da steht auch, dass …

Übung 15

Ergänze in dem Text oben passende Inhalte oder schreibe einen eigenen Bericht, in dem du andere Beobachtungen und Beispiele zum Thema beschreibst.

Versuche in diesem Teil deines Aufsatzes möglichst nur konkrete Beobachtungen zu beschreiben. Dazu gehören vor allem Beispiele und Erfahrungen, die du selbst gemacht hast. Dieser Teil in deinem Aufsatz ist ein Bericht, d. h. du sollst hier sachlich deine Beobachtungen, einige Beispiele und Fakten beschreiben. Deine Meinung kannst du später formulieren.

MEMO_____

Sachlich über konkrete Beobachtungen, Beispiele und Fakten berichten.

Übung 16

Formuliere jetzt den Bericht über deine eigenen Beobachtungen und Beispiele. Versuche auch einige Fakten zu beschreiben. Verwende dabei deine Notizen aus Schritt 5.

Für den Bericht über deine eigenen Beobachtungen solltest du in der richtigen Prüfung nicht mehr als 10 Minuten verwenden.

Schritt 11: Formuliere deine eigene Meinung und begründe sie.

Für die Überleitung zur eigenen Meinung und für ihre Ausformulierung brauchst du wieder bestimmte Formulierungen, die den Text strukturieren. Hier sind Beispiele für Formulierungen, mit denen du in diesem Textteil arbeiten kannst:

MEMO_____

Strukturierende Formulierungen nicht vergessen.

Überleitung zur eigenen Meinung:
Ich sehe das ganz ähnlich wie (Name).
Auch ich bin der Meinung, dass … (Name) hat da ganz recht. Auf der anderen Seite …
Anders als (Name) und (Name) bin ich (nicht) der Meinung, dass …
Ich sehe das ganz anders. Meiner Meinung nach …
Was (Name) sagt, ist sicher sinnvoll, aber ich bin (eher) der Meinung, dass …
Ich habe ganz ähnliche Beobachtungen gemacht wie (Name). Auch an unserer Schule gibt es …
Bei uns ist das genau so, wie (Name) das beschrieben hat. Ich denke aber, dass …
Meine Erfahrungen sind ganz anders als die von (Name). Ich habe erlebt, dass …

Beschreibung der eigenen Meinung:
Hier kannst du auch die strukturierenden Wendungen nehmen, die du bei der Zusammenfassung der anderen Meinungen kennengelernt hast (Schritt 9). Weitere strukturierende Wendungen findest du hier:

zu etwas zustimmen:
auch von etwas überzeugt sein
auch ganz sicher sein, dass …
auch der Meinung sein, dass …

einen Vergleich ziehen:
genauso wie …
ganz anders als …
nicht so wie …

eine Einschränkung machen:
etwas könnte zwar stimmen/funktionieren /
richtig sein, aber …

auf eine Folge hinweisen:
Das führt dazu, dass …
Daraus ergibt sich, dass …

eine Alternative beschreiben:
einerseits …, andererseits …
auf der einen Seite …, auf der anderen Seite …

auf ein Beispiel hinweisen:
ein interessantes Beispiel haben/kennen
an einem Beispiel zeigen können, wie/dass …

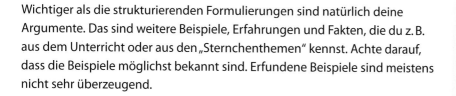

Wichtiger als die strukturierenden Formulierungen sind natürlich deine Argumente. Das sind weitere Beispiele, Erfahrungen und Fakten, die du z. B. aus dem Unterricht oder aus den „Sternchenthemen" kennst. Achte darauf, dass die Beispiele möglichst bekannt sind. Erfundene Beispiele sind meistens nicht sehr überzeugend.

MEMO_____

Die eigene Meinung mit bekannten Beispielen veranschaulichen.

Schreibe möglichst einfache Sätze. Hauptsatz plus ein Nebensatz reicht meistens aus, um einen Zusammenhang klar zu beschreiben. Wenn du mehr Sätze miteinander verbindest, ist die Gefahr groß, dass du Grammatikfehler machst.

MEMO_____

Die eigene Meinung einfach formulieren.

Übung 17

Formuliere deine eigene Meinung zum Thema „Schuluniformen". Begründe sie ausführlich und veranschauliche sie mit passenden Beispielen.

Sinnvoll ist es auch, ganz zum Schluss einen abschließenden Satz zu formulieren und dabei ein besonders wichtiges Argument zu verwenden, z. B. so:

> *Zum Schluss möchte ich noch sagen, dass ich gegen Schuluniformen bin, weil ich alt genug bin, selbst zu entscheiden, was ich anziehe. Ich finde es schlecht, dass ich diese Freiheit an unserer Schule nicht habe. / Ich freue mich, dass ich diese Freiheit an unserer Schule habe.*

MEMO_____

Am Ende einen abschließenden Satz formulieren.

Und nicht vergessen: Wenn du einen Leserbrief geschrieben hast, dann sollte am Ende ein kurzer Gruß stehen, z. B.:

– *Mit freundlichen/besten Grüßen …*
– *Es grüßt euch …*
– *Weiterhin viel Erfolg wünscht euch…*

Euer (Vorname + Nachname, evtl. auch Angabe der Klasse)

MEMO_____

Bei Leserbrief zum Schluss einen Gruß verwenden.

Wenn du einen Artikel geschrieben hast, reichen am Ende dein Name und vielleicht noch deine Klasse:

Vorname + Nachname, Klasse …

MEMO_____

Bei Artikel zum Schluss Name und Klasse angeben.

Übung 18

Überarbeite deinen Text aus der letzten Übung. Schreibe möglichst verständlich. Vergiss nicht den abschließenden Satz und einen Gruß und/oder deinen Namen und die Klasse am Ende.

Für die Formulierung der eigenen Meinung und ihre Begründung solltest du in der richtigen Prüfung nicht mehr als 15 Minuten verwenden.

Für Planung und Ausformulierung deines Beitrags (Schritt 7 bis 11) solltest du insgesamt nicht mehr als 40 Minuten verwenden. Dann bleiben dir für die Überprüfung (Schritt 12) noch etwa fünf Minuten.

Schritt 12: Überprüfe den gesamten Aufsatz.

Lies dir den ganzen Text noch einmal leise selbst vor. Wenn du die Zeiten für die Schritte bis jetzt eingehalten hast, hast du dafür noch ungefähr fünf Minuten.

Achte auf Endungen und Satzbau. Wenn du nicht sicher bist, ob etwas richtig ist, überlege nicht zu lange. Meistens ist die erste Version schon richtig. Verbessere nur dann, wenn du ganz sicher weißt, warum etwas falsch ist und wie es richtig heißen muss. Verwende die folgende Checkliste:

- Mein Leserbrief enthält eine passende Anrede. / Mein Artikel hat eine passende Überschrift.
- Zu Beginn des Leserbriefs / des Artikels habe ich Thema und Quelle genannt.
- Der Text ist zusammenhängend und flüssig zu lesen.
- Ich habe die Meinungen der anderen korrekt und in eigenen Worten wiedergegeben.
- Meine Meinung kann der Leser / die Leserin leicht verstehen.
- Ich habe genau über meine Beobachtungen und Erfahrungen berichtet.
- Ich habe meine Meinung gut begründet.
- Die Beispiele sind anschaulich.
- Die strukturierenden Formulierungen passen gut.
- Ich habe einen abschließenden Satz formuliert.
- Am Ende meines Leserbriefs steht ein Gruß.
- Am Ende meines Artikels stehen mein Name und meine Klasse.
- Der Wortschatz passt gut.
- Der Satzbau ist richtig, es gibt unterschiedliche Satzarten, auch Nebensätze.
- Die Endungen sind (meistens) richtig.
- Die Rechtschreibung ist (meistens) richtig.

MEMO_____

Den ganzen Text mit der Checkliste vergleichen.

Natürlich ist es nicht immer leicht herauszufinden, ob du alles richtig gemacht hast. Deswegen solltest du deine Übungstexte hier im Trainer immer auch jemandem zur Korrektur geben, der gut Deutsch spricht. Am besten gibst du ihm/ihr auch gleich die Checkliste, damit er/sie weiß, was wichtig ist.

Leider darfst du die Checkliste nicht in der richtigen Prüfung verwenden. Du musst also versuchen, sie auswendig zu lernen.

Mündliche Kommunikation: Übersicht

Der Prüfungsteil *Mündliche Kommunikation* besteht aus zwei Teilen. Im ersten Teil der Prüfung stellt dir der Prüfer / die Prüferin bis zu vier Fragen aus einem Katalog von 48 Fragen. Dieser Teil dauert ungefähr vier bis fünf Minuten.

Im zweiten Teil der Prüfung musst du ein Referat halten. Das Thema für das Referat legt der Lehrer / die Lehrerin etwa ein halbes Jahr vor der Prüfung mit dir fest. Dann hast du ein halbes Jahr Zeit, das Referat auszuarbeiten. In der Prüfung dauert das Referat ungefähr fünf Minuten.

Nach dem Referat stellt der Prüfer / die Prüferin noch einige Fragen zu deinem Referat. Dieses Gespräch dauert noch einmal ungefähr 5 Minuten.

Die ganze mündliche Prüfung dauert nur 15 Minuten. Für die beiden Teile kannst du bis zu 24 Punkte bekommen.

Teil 1	
Wortschatz	max. 3 Punkte
Strukturen	max. 3 Punkte

Teil 2	
Inhalt	max. 3 Punkte
Präsentation	max. 3 Punkte
Wortschatz	max. 3 Punkte
Strukturen	max. 3 Punkte

Teil 1 & 2	
Aussprache und Intonation	max. 3 Punkte
Grammatik	max. 3 Punkte

Die Prüfung ist eine Einzelprüfung, du wirst also alleine geprüft. Aber mach dir deswegen keine Sorgen, die Lehrer sind bei Prüfungen immer ganz besonders nett.

Bei deiner Prüfung gibt es keine Vorbereitungszeit. Du wirst (wahrscheinlich) von deinem Prüfer / deiner Prüferin (oder einem anderen Lehrer) abgeholt und direkt in den Prüfungsraum geführt. Deswegen ist es sehr wichtig, dass du deine Unterlagen für die Präsentation vollständig dabei hast.

In der mündlichen Prüfung gibt es einen Prüfer / eine Prüferin und einen Vorsitzenden / eine Vorsitzende. Der Prüfer / Die Prüferin ist immer dein Deutschlehrer / deine Deutschlehrerin. Der/Die Vorsitzende ist normalerweise ein anderer Deutschlehrer / eine andere Deutschlehrerin aus deiner Schule. Manchmal gibt es auch Vorsitzende, die nicht von der Schule sind und die du nicht kennst. Dein Lehrer / Deine Lehrerin wird ihn/sie dir vor Beginn der Prüfung vorstellen. Der/Die Vorsitzende passt darauf auf, dass die Prüfung richtig durchgeführt wird. Er/Sie kann dir auch Fragen stellen, aber das kommt nicht so oft vor.

Das Prüferteam macht sich während der Prüfung Notizen. Das ist völlig normal. Nach der Prüfung legen die Lehrer sofort deine Punktzahl fest und dafür brauchen sie die Notizen. Mach dir also keine Sorgen, wenn die Prüfenden viel aufschreiben.

Das einleitende Gespräch: Basistraining

Für das einleitende Gespräch hat der Prüfer eine Liste mit 48 Fragen. Aus diesem Fragenkatalog wählt dein Prüfer / deine Prüferin bis zu vier Fragen aus. Manchmal stellt er/sie auch eine Frage mehr oder er/sie fragt nach, wenn eine Antwort zu kurz oder nicht genau genug ist.

Im Basistraining lernst du, wie du dich in sinnvollen Arbeitsschritten auf diesen Teil der mündlichen Prüfung vorbereiten kannst. Wenn du ein Handy oder Smartphone hast, dann lege es bereit. Du kannst damit deine eigenen Antworten aufnehmen und dich so besonders gut auf die mündliche Prüfung vorbereiten.

🎙 Schritt 1: Mach auf dich aufmerksam.

Dein Prüfer / Deine Prüferin wird darauf achten, dass die Fragen am Anfang etwas mit deinen persönlichen Interessen und Erfahrungen zu tun haben. Das kann er/sie aber nur, wenn er/sie darüber etwas weiß. Deswegen musst du aktiv im Unterricht mitmachen und deinen Lehrer / deine Lehrerin bei passender Gelegenheit auf dich und deine Interessen aufmerksam machen. Das geht zum Beispiel sehr gut bei einem Klassenausflug, bei einer Geburtstagsfeier in der Klasse, wenn du ein Referat halten musst oder einen Aufsatz schreibst. Auch bei Diskussionen in der Klasse und natürlich bei der Vorbesprechung deiner Präsentation für das Sprachdiplom kannst du deinen Lehrer / deine Lehrerin über deine Interessen und Erfahrungen informieren.

> **MEMO**_____
>
> *Aktiv im Unterricht*
> *mitmachen.*

🎙 Schritt 2: Lerne die Fragen für das einleitende Gespräch kennen.

Zunächst musst du die Fragen für das einleitende Gespräch kennenlernen. Du findest hier 18 typische Fragen. Den gesamten Katalog mit allen 48 Fragen findest du im Anhang auf Seite 169/170.

Übung 1

Lies die Fragen und kläre unbekannte Wörter.

1 Was machst du mit deinen Freunden/ Freundinnen am liebsten? Warum?

2 Welche berühmte Person möchtest du gern kennenlernen? Erzähle von ihr!

3 Wohin würdest du gerne in Urlaub fahren? Warum?

4 Welchen Beruf möchtest du später lernen?

5 Wie hast du deinen letzten Geburtstag gefeiert? Erzähle!

6 Was machst du normalerweise am Wochenende? Erzähle!

7 Erzähle mir über deinen besten Freund / deine beste Freundin!

8 Hast du ein Haustier? Erzähle mir darüber!

9 Dein Lieblingsfach ist _____. Warum?

10 Welches Projekt an unserer Schule hat dir besonders gut gefallen? Erzähle!

11 Wie sieht für dich ein idealer Freizeitpark aus?

12 Beschreibe deinen Traumberuf!

13 Was machst du alles am Computer?

14 Welche Internetseiten besuchst du? Was interessiert dich da?

15 Wie feiert ihr in deiner Familie _____?

16 Du warst in den Ferien in _____. Erzähl von der Reise!

17 Wo möchtest du am liebsten leben? In der Stadt, auf dem Land, am Meer …? Warum?

18 Du bist Fan vom Sportverein/Fußballverein _____. Warum?

Die meisten Fragen könntest du sicher sofort beantworten, ohne lange darüber nachzudenken. Aber besser ist es, wenn du dir die Fragen zuvor etwas genauer anschaust.

Schritt 3: Unterscheide die Fragen nach Themen.

Ein erster Blick auf den Fragenkatalog zeigt, dass die Fragen zu bestimmten Themen gehören, zum Beispiel zum Thema „Freunde". Einige Fragen passen auch zu mehreren Themen.

Übung 2

Welche Fragen gehören zu welchen Themen? Ergänze die Nummern in der Tabelle.

Thema	Frage	Thema	Frage
Freunde	1/7	Natur/Umwelt	
Familie / zu Hause		Schule	
Ferien/Reisen		Sport	
Beruf		Computer/Technik	
Feiern/Feste		Hobbys/Interessen	
Freizeit			

Das sind alles Themen, zu denen du sicher eine Menge berichten kannst. Sehr wichtig ist es dabei, dass du die passenden Wörter kennst. Deswegen solltest du zu diesen Themen bis zur Prüfung ganz gezielt deinen Wortschatz erweitern. Sammle die Wörter – nach Themen geordnet – in einem Vokabelheft oder in einer Wortschatzkartei wie bei der *Schriftlichen Kommunikation* (Seite 70).

Notiere in deinem Vokabelheft / deiner Wortschatzkartei zu allen Themen aus Übung 2 Wörter, die dir jetzt gerade einfallen. Wähle jeden Tag ein anderes Thema und füge ein paar neue Wörter hinzu. Vergiss nicht, die alten Wörter zu wiederholen.

Das ist viel Arbeit und erfordert etwas Disziplin. Aber es lohnt sich, denn die Wörter kannst du nicht nur in deinem Referat verwenden. Sie helfen dir auch im Unterricht. Außerdem kannst du mit gutem Wortschatz bis zu sechs Punkte in der mündlichen Prüfung erreichen (je drei Punkte in Teil 1 und 2).

👣 Schritt 4: Unterscheide die Fragen nach ihrer Art.

Der Fragenkatalog enthält Fragen, die man in Gruppen zusammenfassen kann. Außerdem gibt es ein paar Aufforderungen. In den nächsten Abschnitten schauen wir uns diese Typen von Fragen und Aufforderungen genauer an.

Nicht alle „Fragen" sind einfache Fragen in einem Satz. Manchmal sind es auch zwei Sätze und der erste hat eine Lücke, zum Beispiel:

> Dein Lieblingsfach ist _____. Warum?

So eine Frage wird der Lehrer nur stellen, wenn er dein Lieblingsfach kennt. Also musst du dafür sorgen, dass dein Lehrer vor der Prüfung erfährt, was dein Lieblingsfach ist (vgl. Schritt 1).

> **MEMO_____**
>
> *Es gibt Fragen mit „Lücken".*

Andere Fragen sind mit einer Aufforderung verbunden, zum Beispiel:

> Wie hast du deinen letzten Geburtstag gefeiert? Erzähle!

Bei dieser Frage erwartet der Prüfer, dass du über deine letzte Geburtstagsfeier berichtest. Der Prüfer sagt zwar „Erzähle!", aber eigentlich erwartet er, dass du sachlich über diese Feier berichtest.

> **MEMO_____**
>
> *Manche Fragen sind mit einer Aufforderung verbunden.*

Aufforderungen sind natürlich keine Fragen, aber meistens ist darin eine Frage enthalten.

> Erzähle mir über deinen besten Freund / deine beste Freundin!

Bei dieser Aufforderung erwartet der Prüfer / die Prüferin, dass du erklärst, wer dein bester Freund / deine beste Freundin ist. Diese Aufforderung enthält aber auch eine Frage, denn der Prüfer / die Prüferin will natürlich wissen, warum diese Person so wichtig für dich ist. Wenn der Prüfer / die Prüferin sagt „Erzähle!", dann ist auch hier gemeint, dass du sachlich berichten und begründen sollst, warum diese Person dein bester Freund oder deine beste Freundin ist.

> **MEMO_____**
>
> *Die meisten Aufforderungen enthalten eine Frage.*

Übung 3

Was erwartet der Prüfer / die Prüferin? Notiere.

1. Frage: Beschreibe deinen Traumberuf!

Die Prüfenden erwarten, dass ich _____

2. Frage: Du warst in den Ferien in _____. Erzähle von der Reise!

Die Prüfenden erwarten, dass ich _____

„Richtige" Fragen sind Fragen mit einem Fragepronomen (*Warum?, Wie?, Was?, Wo,? Wer?* usw.), zum Beispiel:

> Was machst du mit deinen Freunden / deinen Freundinnen am liebsten? Warum?

Zuerst wird nach einer bestimmten Sache gefragt und dann nach den Gründen. Der Prüfer / Die Prüferin fragt ausdrücklich, **warum** du mit deinen Freunden/ Freundinnen ins Kino gehst oder mit ihnen Computerspiele machst.

Übung 4

Was wollen die Prüfenden bei diesen Fragen wissen? Notiere.

> Wohin würdest du gerne in Urlaub fahren? Warum?
>
> Dein Lieblingsfach ist _____. Warum?

Bei den Fragen mit *Warum?* ist ganz klar, dass nach Gründen gefragt wird. Viele Fragen haben aber andere Fragepronomen, z. B. *Wie?* oder *Was?* oder *Welcher?, Welche?, Welches?* oder *Wo?* und *Wohin?*, zum Beispiel:

> Was machst du alles am Computer?

Auch bei dieser Frage erwarten die Prüfenden von dir eine genaue Antwort. Ein Wort, zum Beispiel „spielen", oder ein kurzer Satz, zum Beispiel „Ich schaue am liebsten Filme an.", ist sicher nicht ausreichend. Die Prüfenden wollen mehr von dir wissen.

Übung 5

Beschreibe in deinen Worten, was die Prüfenden von dir bei dieser Frage erwarten.

> Was machst du alles am Computer?

Wie du siehst, steckt hinter jeder Frage eine bestimmte Erwartung des Prüfers / der Prüferin. Auch wenn er/sie nicht ausdrücklich mit *Warum?* fragt, geht es meistens darum, dass du deine Aussage sinnvoll begründest. Wie das funktioniert, erfährst du im nächsten Schritt.

Schritt 5: Achte auf das *versteckte Warum*.

Vielleicht überrascht es dich, aber die meisten Fragen oder Aufforderungen enthalten ein *verstecktes Warum*. Im Unterricht ist das ganz ähnlich. Der Lehrer / Die Lehrerin stellt eine Frage, du antwortest und bist zufrieden, aber der Lehrer schaut dich immer noch an. Er/Sie wartet auf eine Begründung. Und wenn du keine Begründung gibst, dann fragt er/sie sehr wahrscheinlich: „Warum?"

> Was machst du alles am Computer?

Das heißt natürlich: Was machst du alles am Computer und **warum** machst du das?

Gründe gibt es eigentlich für alles. Sie zeigen, dass du über das nachgedacht hast, was du berichtest. Und das wollen die Prüfenden hören.

MEMO_____

Die meisten Fragen und Aufforderungen enthalten ein „verstecktes Warum".

Übung 6

Formuliere die Frage neu und verwende dabei ein *Warum*.

> Welche berühmte Person möchtest du gern kennenlernen? Erzähle von ihr!

Es ist zwar möglich, dass der Prüfer / die Prüferin nicht nachfragt, wenn du nur erzählst, wie gut die berühmte Person singen kann oder dass ihre Bücher toll sind. Aber die Punktzahl wird mit Sicherheit besser, wenn du auch das *versteckte Warum* beantwortest und deine Aussagen begründest.

Auch bei den Aufforderungen geht es meistens um das *versteckte Warum*.

Übung 7

Formuliere die Aufforderungen so um, dass darin ein *Warum* enthalten ist. Du kannst auch mehrere Fragen mit *Warum* stellen.

> Hast du ein Haustier? Erzähle mir darüber!

Schritt 6: Begründe deine Aussagen.

Nehmen wir an, du hast die Frage des Prüfers / der Prüferin genau verstanden. Jetzt geht es darum, eine gute Antwort zu geben. Stell dir vor, dir wird in der Prüfung folgende Frage gestellt:

> Was machst du normalerweise am Wochenende? Erzähle!

Die Antwort könnte etwa so aussehen:

> Am Wochenende schlafe ich gerne lange. Am Samstag gehe ich oft mit meinen Freunden ins Kino. Am Sonntag muss ich mit meinen Eltern frühstücken. Manchmal spiele ich mit meinen Freunden am Computer oder ich surfe im Internet.

Du merkst sicher, das ist irgendwie langweilig. Viel besser wird die Antwort, wenn du an das *versteckte Warum* denkst und einige Begründungen gibst.

Übung 8

Formuliere die Antwort neu und ergänze einige Begründungen. Du kannst dazu diese Notizen verwenden.

> – jeden Tag früh aufstehen – weit weg wohnen
> – am Wochenende – keine Hausaufgaben
> – meine Eltern – länger schlafen
> – morgens – gerne lange träumen – richtig ausschlafen

MEMO_____

Aussagen möglichst immer begründen.

Es ist also wichtig, dass du deine Aussagen in der Prüfung immer begründest und erklärst. Der Prüfer will wissen, ob du über deine Antworten gründlich nachgedacht hast.

Schritt 7: Mach deine Antworten interessant und anschaulich.

Die meisten Antworten im einleitenden Gespräch sind ziemlich langweilig. Das liegt auch daran, dass die Schüler gerne „sichere" Antworten geben. Außerdem haben sie das Gefühl, dass der Prüfer / die Prüferin unbedingt etwas Positives hören will. Sehr viele Schüler würden auf die Frage „Was machst du normalerweise am Wochenende?" wahrscheinlich eine positive Antwort geben wie in der folgenden Übung.

Übung 9

a   Verwende die Notizen und berichte in deinen Worten. Mach eine Aufnahme von deiner Antwort.

> Was machst du normalerweise am Wochenende?

> Am Sonntag frühstücke ich immer mit meinen Eltern …

> – mit Eltern – gerne frühstücken
> – viel lachen – kein Stress
> – in der Woche – wenig Zeit
> – gute Gelegenheit: Eltern – Schule – unterhalten
> – Sonntagnachmittag – gemeinsam planen

b   Höre deine Aufnahme an. Bist du zufrieden? Wenn nicht, formuliere deine Antwort zuerst schriftlich. Nimm sie dann noch einmal auf, ohne die schriftliche Antwort zu lesen.

Und dein Prüfer / deine Prüferin? Wird er/sie mit deiner Antwort zufrieden sein? – Vielleicht. Aber vielleicht würde es ihm/ihr besser gefallen, einmal etwas anderes zu hören. Etwas, was nicht jeder Kandidat erzählt. So könntest du auch ganz anders antworten und zeigen, wie langweilig es für dich ist, jeden Sonntag mit deinen Eltern und deinen Geschwistern frühstücken zu müssen. Das wäre einmal etwas anderes und der Prüfer / die Prüferin würde sich darüber ganz sicher freuen.

Übung 10

a   Verwende die Notizen und berichte in deinen Worten. Mach eine Aufnahme von deiner Antwort.

> Was machst du normalerweise am Wochenende?

> Am Sonntag muss ich immer mit meinen Eltern frühstücken …

> – Eltern – frühstücken
> – In der Woche – wenig Zeit – Familie
> – langweilig – lieber länger schlafen
> – Eltern – reden – Beruf
> – Eltern – fragen – Schule
> – Schwester/Bruder – oft streiten – beim Frühstück

b   Höre deine Aufnahme. – Zufrieden? Warum (nicht)? Notiere.

Auch wenn du vielleicht noch nicht ganz zufrieden bist mit deiner Antwort, ist sie bestimmt schon besser als in Übung 9. Einfach deswegen, weil sie anders ist als das, was alle sagen. Mit anderen Worten: Sage ruhig auch das, was dich stört, was dir nicht gefällt, wo du vielleicht Probleme hast, wenn etwas schiefgegangen ist.

MEMO_____

Deine Antwort ist auch interessant, wenn nicht alles positiv und schön ist.

Übung 11

Welche Antwort findest du interessanter? Kreuze an.

> Du warst in den Ferien in Griechenland. Erzähle von der Reise.

toller weißer Strand
jeden Tag Sonne: heiß
prima Essen
am Strand spielen
im Meer baden
abends deutsches Fernsehen
Eltern: Karten spielen

toller weißer Strand
jeden Tag Sonne: sehr heiß
eines Abends: Gewitter
Blitze/Donner/Regen am Strand
ins Hotel rennen
am nächsten Morgen: alles überschwemmt,
sogar Parkplatz
unser Auto unter Wasser – Heimreise?

A

B

Wahrscheinlich findest du Antwort B interessanter. Da passiert etwas, wovon du anschaulich erzählen kannst. Bei Antwort A reihst du nur eine Sache an die andere. Das ist langweilig und interessiert eigentlich niemanden so richtig. In Antwort B zeigst du an einem konkreten und persönlichen Beispiel, was in deinem Urlaub passiert ist. Da hören alle Prüfer gerne zu.

Übung 12

a Formuliere die Antwort B zuerst schriftlich. Verwende dabei alle Stichworte aus Übung 11 B.

b Formuliere deine Antwort noch einmal, aber mündlich. Sprich frei und nimm deine Antwort auf.

c Höre deine Aufnahme und kontrolliere sie.

– Hast du alles berichtest, was auf dem Notizzettel steht? Fehlt etwas?
– Kann man dich gut verstehen?

d Wenn du nicht zufrieden bist, mach die Aufnahme noch einmal.

MEMO_____

Antworten mit persön-
lichen Beispielen an-
schaulich machen.

Übung 13

🔊 **1** 43 **a** Höre die Frage und ein Beispiel für eine mögliche Antwort. Du kannst den Text mitlesen. Kläre unbekannte Wörter.

> Welche Internetseiten besuchst du?
> Was interessiert dich da?

> Meine Lieblingsseite ist die NASA-Homepage (www.nasa.gov): Die Seite gefällt mir besonders gut, weil ich mich schon immer für das Universum interessiert habe und vielleicht einmal Astrophysik studieren möchte. Zu Hause habe ich ein eigenes Fernglas. Damit schaue ich manchmal die Sterne an. Außerdem finde ich die Raumfahrt sehr interessant und hoffe, dass wir bald zum Mars fliegen werden. Auf der NASA-Seite gibt es zur bemannten Raumfahrt sehr viele Informationen und aktuelle Bilder, zum Beispiel auch vom Mars. Und nebenbei kann ich auch mein Englisch verbessern, denn die ganze Seite gibt es nur auf Englisch. Manchmal ist das ziemlich schwierig. Und noch etwas: Auf der NASA-Seite gibt es immer ein Live-Video von der Raumstation. Ich finde es faszinierend, langsam über die Erde zu fliegen und unseren blauen Planeten zu betrachten.

b   Warum ist die Antwort gut? Notiere.

Und jetzt bist du dran.

Übung 14

a   Welche Webseite gefällt dir besonders gut?

Meine Lieblingsseite im Web: _____

b   Warum gefällt dir diese Webseite besonders gut? Schreibe eine Antwort und denke dabei auch an die konkreten Beispiele.

c   Formuliere deine Antwort noch einmal mündlich. Sprich frei und nimm deine Antwort auf.

d   Höre deine Aufnahme und kontrolliere sie. Wenn du nicht zufrieden bist, mach die Aufnahme noch einmal.

–   Ist alles drin, was dir wichtig ist?
–   Ist deine Antwort anschaulich?
–   Hast du deine Aussagen gut begründet?

Wenn du alles richtig gemacht hast, ist das ein guter Anfang und du kannst beruhigt mit deinem Referat weitermachen.

Die Präsentation: Basistraining

Im zweiten Teil der mündlichen Prüfung geht es um die Präsentation und das abschließende Gespräch. Hier im Basistraining erfährst du, wie du dich inhaltlich und sprachlich darauf vorbereiten kannst.

Schritt 1: Wähle ein Thema aus.

Ganz wichtig ist es natürlich, das richtige Thema zu finden. Euer Deutschlehrer / Eure Deutschlehrerin wird ein halbes Jahr vor der Prüfung mit euch die Themen festlegen und euch helfen, ein gutes Thema zu finden. Das bedeutet, du hast sechs Monate, um fünf Minuten Präsentation vorzubereiten. Das ist viel Zeit. Du musst sie nur richtig nutzen.

> **MEMO**_____
>
> *Das Thema deines Referats möglichst früh festlegen.*

Jeder Lehrer / Jede Lehrerin wird auf seine/ihre Art mit der Klasse besprechen, was du bei der Auswahl und Festlegung des Themas berücksichtigen sollst. Trotzdem ist es gut, wenn du dir schon jetzt darüber Gedanken machst, was überhaupt ein gutes Thema ist.

Die besten Themen sind die, die mit dir selbst zu tun haben. Deswegen musst du ein Thema finden, zu dem du etwas aus eigener Erfahrung sagen kannst. Dann macht es auch Spaß, das Thema vorzubereiten. Hier sind ein paar Beispiele:

> **MEMO**_____
>
> *Das Thema soll aus deinem Lebens- und Erfahrungsbereich stammen.*

- Das Umweltprojekt: Unser Schulgarten
- Schüleraustausch mit Deutschland: Meine Erfahrungen in …
- Schülertheater auf Deutsch, eine Herausforderung, die Spaß macht

Alles nicht erlebt? – Macht nichts: Es gibt viele Themen, die so ähnlich sind.

Übung 1

Notiere mindestens ein Thema aus deinem Lebens- und Erfahrungsbereich.

Jeder Prüfer freut sich, wenn du ein Thema findest, das auch mit Deutschland oder der deutschen Kultur zu tun hat. Das liegt daran, dass du Deutsch ja nicht nur lernst, um in Berlin einmal eine Currywurst zu bestellen. In den vielen Jahren, die du jetzt schon Deutsch lernst, hast du auch viel über das Land, die Leute, die Kultur, die Gesellschaft erfahren. Und die Präsentation ist eine gute Gelegenheit, darüber zu berichten.

> **MEMO**_____
>
> *Themen, die mit Deutschland zu tun haben, sind bei den Prüfenden sehr beliebt.*

Das Thema mit dem Schüleraustausch ist da schon sehr geeignet; ähnlich gut sind auch solche Themen:

- Weihnachten in Deutschland – Ein Fest, das ich nie vergessen werde
- Ferien mit Freunden in Deutschland / Ferien mit deutschen Freunden
- Vier Wochen auf einem Bauernhof in Oberbayern / auf einer Insel in der Nordsee / im Schwarzwald – Ein Erlebnis der besonderen Art

Übung 2

Notiere mindestens ein Thema aus deinem Erfahrungsbereich, das mit Deutschland zu tun hat.

Natürlich kann es sein, dass du noch nie in Deutschland warst. Es kann auch sein, dass du kaum Erfahrungen mit Deutschen gemacht hast oder Englisch viel interessanter findest als Deutsch. Trotzdem musst du für das Sprachdiplom ein geeignetes Thema finden. Und besonders interessant sind Themen, die einen Vergleich zwischen deinem Land und deiner Kultur und Deutschland erlauben. Das sind sogenannte interkulturelle Themen, zum Beispiel:

- Unsere Schule – Eine Begegnungsschule?
- Deutsch um die Ecke – Die Deutschen und ihre Sprache hier in …
- Mein bester Freund – Ein Deutscher! / Meine beste Freundin – Eine Deutsche!

Bei diesen Themen kannst du immer etwas über dich und dein Land und über Deutschland oder „die" Deutschen sagen. Dabei geht es nicht darum, dass du alles, was in Deutschland passiert, besser findest. Nein, es ist wichtig, dass du vergleichst und zu einem Ergebnis kommst, das du gut begründen kannst.

MEMO_____

Möglichst ein Thema wählen, das einen interkulturellen Vergleich erlaubt.

Alle Themen, die wir bisher vorgeschlagen haben, haben bestimmte Gemeinsamkeiten:

- Sie haben alle mit deinen persönlichen Erfahrungen zu tun.
- Sie sind alle aus deinem Lebensbereich.
- Sie ermöglichen es, einen Bezug zu Deutschland und seiner Kultur herzustellen.
- Sie erlauben einen interkulturellen Vergleich zwischen deinem Land und Deutschland.

Wenn dein Lehrer / deine Lehrerin einverstanden ist, kannst du natürlich auch ein Thema wählen, das keinen direkten Bezug zu Deutschland hat. Aber aufpassen: Auch bei diesen Themen versuchen die Prüfenden, im anschließenden Gespräch manchmal einen Bezug zu Deutschland herzustellen. Darauf solltest du vorbereitet sein.

Die bisher genannten Themen kommen aus unterschiedlichen Bereichen, zum Beispiel Schule, Ferien, Freizeit, Freunde. Daneben gibt es eine Reihe von anderen Themenbereichen, aus denen du dein Thema wählen kannst, zum Beispiel:

- deine persönliche Lebensgestaltung
- Ausbildung, Schule, Beruf
- kulturelles Leben und Medien
- Wirtschaft, Technik, Umwelt
- gesellschaftliches Leben
- Regionen in Deutschland und weitere deutschsprachige Regionen

Wenn du die Themenbereiche siehst, denkst du vielleicht: Ich wähle den einfachsten Themenbereich, meine persönliche Lebensgestaltung. Das klingt einfach – muss es aber nicht sein. Denn die meisten von uns haben ein ganz normales Leben. Das ist mal spannend, mal langweilig. Und es ist nicht leicht, sein Leben so zu präsentieren, dass es für Zuhörer wirklich interessant ist.

MEMO_____

Sogenannte einfache Themen sind manchmal ganz schön schwierig.

Wenn du trotzdem ein Thema aus deinem Alltag nehmen willst, gelingt das wahrscheinlich am besten, wenn du einen Bezug zu Deutschland herstellen oder einen interkulturellen Vergleich mit deinem eigenen Land ziehen kannst. Das geht zum Beispiel bei diesen Themen recht gut:

- Deutsche Küche – Manchmal koche ich „deutsch"
- Meine Familie – Eine typische Großfamilie aus _____

Bei diesen Themen kannst du über dich und dein Leben und über deine Erfahrungen mit Deutschen / deutscher Lebensart und Kultur berichten und sie miteinander vergleichen.

Beim letzten Thema kannst du zum Beispiel deine Großfamilie (wenn du eine hast) mit einer typisch deutschen Kleinfamilie mit einem oder höchstens zwei Kindern vergleichen. Und schon ist der interkulturelle Vergleich hergeleitet.

Übung 3

Notiere ein interessantes Thema aus deinem Alltag und beschreibe in deinen Worten, welchen Bezug zu Deutschland du bei diesem Thema herstellen kannst.

Übung 4

a Lies die Liste mit möglichen Themen und ordne die Nummern zu.

A Themen, die nur/überwiegend mit Deutschland zu tun haben: *1, 2*_____

B Themen, die sich besonders gut für einen interkulturellen Vergleich eignen: _____

C Themen, die du nur wählen kannst/sollst, wenn du schon einmal in Deutschland, in Österreich oder der Schweiz warst: _____

D Themen, die keinen erkennbaren Bezug zu Deutschland haben: _____

Persönliche Lebensgestaltung

1. Mein bester Freund – Ein Deutscher! / Meine beste Freundin – Eine Deutsche!

2. Typisch deutsch? – Mein Alltag an der deutschen Schule

3. Meine Familie – Eine typische Großfamilie aus _____

4. Deutsch um die Ecke: Die Deutschen und ihre Sprache / ihr Einfluss / ihre Rolle hier in …

5. Der/Die/Das _____ , mein Lieblingstier

Ausbildung, Schule, Beruf

6. Meine Schule – Eine deutsche (?) Schule?

7. Mein Traumberuf – Warum ich _____ werden möchte.

8. Mein privates Projekt – Gesünder essen

9. Typisch deutsch? – Mein Alltag an der deutschen Schule

10. Schüleraustausch mit Deutschland – Meine Erfahrungen an einer Schule in …

Kulturelles Leben und Medien:

11. _____, ein deutscher Film, der mich sehr beeindruckt hat / der mir sehr gut gefallen hat

12. _____, meine Lieblingsband aus Deutschland

13. Mein deutsches Lieblingsbuch: _____

14. Fernsehen in Deutschland – Was mir gefallen hat / Was ich schrecklich fand

15. Mit dem Goethe-Institut online Deutsch lernen

Wirtschaft, Technik, Umwelt

16. Das Umweltprojekt – Unser Schulgarten / Ein Mülltag am Strand / …

17. Mit der U-Bahn durch Berlin/München/Frankfurt – Eine Einführung für Touristen

18. Im ICE von München nach Hamburg / Quer durch Deutschland

19. Berlin in 3-D – Eine Tour durch Deutschlands Hauptstadt

20. Mit Tempo 300 von München nach Nürnberg – Ein Sprint im ICE

Gesellschaftliches Leben

21. Typisch Deutsch – oder auch nicht! Urteile und Vorurteile über das Land in der Mitte von Europa

22. Der Schrebergarten – Typisch deutsch?

23. Mein Lieblingssport – Fußball / _____ / _____

24. Jugendliche in Deutschland und was sie in ihrer Freizeit machen

25. Weihnachten in Deutschland – Ein Fest, das ich nie vergessen werde

96　　Prüfungstraining | DSD Stufe 1 |

Regionen in Deutschland und weitere deutschsprachige Regionen:

26. Mit Google Earth quer durch Deutschland

27. Vier Wochen auf einem Bauernhof in Oberbayern / auf einer Insel in der Nordsee / im Schwarzwald / auf dem Lande in Deutschland / in einer deutschen Großstadt – Ein Erlebnis der besonderen Art

28. Die deutschsprachige Schweiz

29. Österreich – Ein beliebtes Reiseland der Deutschen

30. Tourismus in Deutschland – Wo die Deutschen am liebsten ihre Ferien verbringen und warum

b   Welche Themen aus dieser Liste könnten dich selbst interessieren? Notiere.

Schritt 2: Finde geeignete Quellen.

Es hängt vom Thema ab, wo und wie du am schnellsten die gesuchten Informationen findest. Die meisten werden dabei zuerst an das Internet denken. Hier sind zwei Seiten, die sehr gut über Deutschland informieren. Die zweite Seite gibt es auch in sehr vielen anderen Sprachen, darunter sicher auch in deiner Muttersprache:

MEMO

Sobald das Thema steht, mit der Recherche beginnen.

www.deutschland.de
www.tatsachen-ueber-deutschland.de

Außerdem findest du natürlich über Wikipedia und über eine Suchmaschine wie www.google.de viele nützliche Informationen über Deutschland. Denke daran, dass du deutschsprachige Seiten schneller findest, wenn du bei der Suchmaschine die Sprache so einstellst, dass vor allem deutsche Webseiten angezeigt werden.

Wenn du deutsche Internetseiten liest, ist es am Anfang etwas schwieriger, die Informationen zu verstehen. Der Vorteil ist aber, dass du dabei die richtigen Wörter kennenlernst, die du für dein Referat brauchst.

Aber das Internet ist nur eine Möglichkeit, sich Informationen über Deutschland zu beschaffen. Daneben gibt es viele andere Möglichkeiten:

- deinen Deutschlehrer und andere Lehrer aus Deutschland
- Deutsche, die in deiner Stadt / deiner Region leben
- deutsche Freunde, die dich besuchen oder denen du eine Mail schicken kannst
- deutsche Institutionen in deinem Land, zum Beispiel das Goethe-Institut (auch im Internet: www.goethe.de), die Deutsche Botschaft oder das Konsulat oder die Deutsche Industrie- und Handelskammer
- Reisebüros mit Broschüren über Deutschland
- die Vertretung der deutschen Lufthansa
- Geschäfte von Deutschen / Geschäfte mit deutschen Produkten
- deutsche Vereine/Restaurants in deiner Stadt
- deutsche Kirchengemeinden

– dein Deutschbuch
– die Schulbibliothek mit Büchern, Zeitschriften und DVDs
– Deutsche Welle (auch im Internet: www.deutsche-welle.de)

Wenn du andere Quellen kennst, umso besser. Wichtig ist, dass das Material, das du dort findest, authentisch und möglichst neu ist. Niemand interessiert sich für Informationen, die zu alt sind.

Schritt 3: Erarbeite das Thema und mache eine Stoffsammlung.

Jetzt musst du das Thema erarbeiten und eine Stoffsammlung machen. Da gibt es verschiedene Wege. Einige von euch werden erst einmal beginnen, Informationen zu sammeln, ohne vorher darüber nachzudenken, was sie eigentlich in ihrem Referat zeigen wollen. Manchmal kommt dann die Idee beim Studieren der Quellen. Aber das Ganze kostet Zeit und manchmal merkst du erst sehr spät, dass du keine „zündende" Idee hast.

Gezielter kannst du nach Informationen suchen, wenn du schon ungefähr weißt, worüber du berichten willst und was du mit deinem Referat erreichen möchtest. Um das herauszufinden, kannst du W-Fragen stellen. Sie helfen dir, an alles zu denken, was bei deinem Thema wichtig sein könnte.

MEMO_____

Das Thema mit W-Fragen erarbeiten und eine Stoffsammlung machen.

Nehmen wir an, du hast dich für das Thema „Mein privates Projekt – Gesünder essen" entschieden. Vielleicht hast du dir über dieses Thema zuvor noch nie Gedanken gemacht. Aber mithilfe von W-Fragen kannst du dir schnell einen Überblick verschaffen und weißt, nach welchen Informationen du suchen musst:

Mit W-Fragen lassen sich alle Themen aus unserer Liste erarbeiten. Auch solche, in denen es um eine Musik-Band und ihre Lieder, ein Buch oder um einen Film geht, zum Beispiel „‚Good-bye, Lenin', ein deutscher Film, der mir sehr gut gefallen hat".

Das Thema ist sehr umfangreich und deswegen musst du dich von Anfang an auf ein paar wesentliche Dinge beschränken. Dabei helfen wieder die W-Fragen, aber du musst sie etwas anders formulieren.

Übung 5

Ergänze passende W-Fragen.

Ähnlich ist das, wenn du dein Lieblingsbuch vorstellen musst.

Übung 6

Verändere die W-Fragen aus Übung 5 so, dass sie zu einem Buch passen.

Manchmal passt eine Frage nicht so gut – dann überspringe sie einfach. Oder du musst eine zusätzliche Frage stellen. Das ist natürlich erlaubt und manchmal auch sehr sinnvoll. Die Fragen geben dir nur eine Richtung vor, aber diese Richtung ist immer dieselbe.

Wenn du alle W-Fragen genau beantwortest, entsteht eine umfangreiche Sammlung von Informationen, die Stoffsammlung.

🐾 Schritt 4: Ordne das Material und erstelle eine Gliederung.

Der wichtigste Schritt ist jetzt, aus der Stoffsammlung geeignete Informationen herauszusuchen und sinnvoll in einer Gliederung zu ordnen. Das geht ganz einfach, denn die W-Fragen passen zu ganz bestimmten Gliederungspunkten, die du bei jedem Thema verwenden kannst.

Übung 7

Lies das allgemeine Gliederungsschema und ordne die W-Fragen zuerst zum Thema „Gesünder essen" und dann zum Thema „Lieblingsfilm" den Gliederungspunkten zu. Manchmal gibt es mehrere Möglichkeiten.

Allgemeines Gliederungsschema:

- Thema
- Begründung für das Thema
- Handlung/Vorgang/Ereignis/Information
- Bewertung
- Veranschaulichung/Beispiel(e)
- Bezug zu Deutschland
- interkultureller Vergleich
- Empfehlung

Thema:
- Wo/Wann bin ich auf das Thema / das Problem aufmerksam geworden?
- Wo/Wann habe ich den Film (zum ersten Mal) gesehen?
- Wer hat den Film gemacht?
- ...

Begründung für das Thema:
- Warum habe ich das Thema gewählt?
- Warum ...

Also denke daran, diese Gliederungspunkte kannst du für alle Themen verwenden. Und die W-Fragen passen genau zu diesen Gliederungspunkten. In der richtigen Gliederung erscheinen natürlich nicht die W-Fragen, sondern deine Antworten auf diese Fragen, zum Beispiel so:

Lieblingsfilm:

Thema:
- im Deutschunterricht gesehen/besprochen
- Anfang des Jahres
- Regisseur: Wolfgang Becker, deutscher Spielfilm: 2003
- sehr erfolgreich, viele Preise: zum Beispiel Deutscher Filmpreis 2003

Begründung:
- gut gefallen
- lustig und tragisch
- gute Schauspieler, vor allem Daniel Brühl und Kathrin Sass (beide sehr jung)
- viele Informationen über die Ex-DDR
- Informationen über ehemalige DDR-Bürger in der Bundesrepublik

---

Wenn du bei deinem Thema keinen Bezug zu Deutschland und keinen interkulturellen Vergleich herstellst, solltest du trotzdem darauf vorbereitet sein, dass dich der Prüfer / die Püferin im abschließenden Gespräch danach fragt.

Schritt 5: Wähle akustische und/oder visuelle Materialien aus.

Die Auswahl der Materialien ist sehr wichtig. Lass dich dabei nicht nur von deinen persönlichen Vorlieben leiten, sondern denke vor allem daran, was du in deinem Referat sagen möchtest.

Übung 8

Was für Materialien könnte man für die folgenden Themen auswählen? Notiere Beispiele.

Deutsche Lieblingsband: _____

Lieblingsfilm aus Deutschland: _____

Deutsches Lieblingsbuch: _____

Mein Traumberuf: _____

Mülltrennung in Deutschland: _____

Fußball: _____

Haustiere in Deutschland: _____

Regionen in Deutschland: _____

Die Materialien (Audios, Fotos, Videos), die du präsentieren möchtest, kannst du in eine Powerpoint-Präsentation einbauen. Aber denke dabei immer daran, dass es nicht so sehr darauf ankommt, dass die Präsentation „schön" ist und viele Effekte enthält, sondern dass es um den Inhalt geht.

> **MEMO**_____
>
> *Auch in einer Powerpoint-Präsentation geht es vor allem um den Inhalt, nicht um die Effekte.*

Und noch ein paar Tipps:

*   Visuelle Materialien müssen einfach sein; jeder soll schnell erkennen können, was das Wesentliche ist.

*   Wenn du akustische und /oder visuelle Materialien einsetzen willst, musst du dir gut überlegen, wo das in deiner Präsentation am besten geschieht.

*   Audio- und Videoclips sollten nicht länger als 20 bis 30 Sekunden sein.

*   Ganz wichtig ist auch, dass du von Anfang an die technischen Möglichkeiten bedenkst, die an deiner Schule existieren. Am besten, du besprichst das frühzeitig mit deinem Lehrer / deiner Lehrerin.

Schritt 6: Formuliere den Text.

Wenn du eine Gliederung zum Thema erstellt hast, musst du als Nächstes den Text formulieren. Das heißt, du musst einen Text schreiben, in dem du alle Punkte ausführlich darstellst, die du in der Gliederung aufgelistet hast. Das hast du im Unterricht sicher schon oft geübt, aber leicht ist es trotzdem nicht. Deswegen solltest du früh damit anfangen.

Wenn du deinen Text formulierst, musst du auch darauf achten, dein Referat gut zu beginnen und die verschiedenen Teile sinnvoll miteinander zu verbinden. Wähle aus den folgenden Sätzen die aus, die zu deinem Referat passen.

Die Einleitung:
Das Thema meines Vortrags lautet: …
Ich spreche heute über …
Heute möchte ich über … sprechen.
Heute möchte ich über dieses Thema sprechen: …
Ich möchte Ihnen heute … vorstellen.
In meinem Referat möchte ich über … berichten.

Die Gliederung:
Zuerst möchte ich Ihnen einen Überblick über das Thema geben.
Mein Referat ist in drei Teile geteilt.
Im ersten Teil werde ich über … berichten, danach möchte ich … und im letzten Teil …
Ich beginne mein Referat mit …, danach werde ich … und ganz zum Schluss …

Der Schluss:
Ich komme jetzt zum Schluss.
Zusammenfassend möchte ich sagen, dass …
Abschließend möchte ich feststellen / zum Ausdruck bringen / betonen, dass …
Zum Schluss möchte ich noch sagen, dass …
Ich hoffe, mein Vortrag hat Ihnen gefallen.

Sehr sinnvoll ist es auch, den Text von einem Deutschen lesen und korrigieren zu lassen. Dabei kommt es vor allem darauf an, dass dein Deutsch natürlich klingt. Der eine oder andere Grammatikfehler ist dabei gar nicht so wichtig, denn du wirst den Text ja nicht wörtlich vorlesen, sondern frei vortragen. Mit anderen Worten: Die Formulierung des Textes ist nur ein erster Schritt auf dem Weg zum freien Vortrag. Der Text, den du jetzt schreibst, ist nicht der Text, den du vortragen wirst.

Schritt 7: Notiere Stichworte für die Präsentation.

Wenn du eine gute Gliederung erstellt hast, ist das mit den Stichworte eigentlich ganz einfach. Mit etwas Übung ist es sogar möglich, allein mit der Gliederung den Vortrag zu halten. Die meisten Schüler und Schülerinnen fühlen sich aber sicherer, wenn sie mehr Stichwörter vor sich haben als die aus der Gliederung.

Außerdem ist es sinnvoll, diese Stichwörter auf kleine Zettel zu schreiben. Immer nur ein paar wenige Punkte, die inhaltlich zusammengehören. Die Zettel musst du natürlich nummerieren für den Fall, dass sie einmal durcheinandergeraten.

Nehmen wir einmal an, du hast das Thema „Gesünder essen" gewählt, dazu eine umfangreiche Stoffsammlung erstellt und auch schon eine Gliederung gemacht. Jetzt geht es darum, aus der Gliederung die Stichworte für deine Notizzettel zu formulieren, zum Beispiel so:

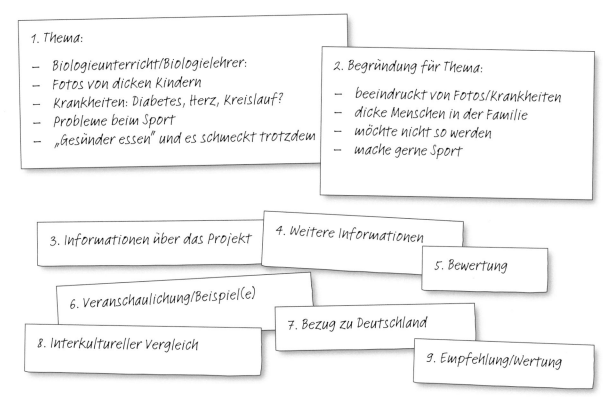

👣 Schritt 8: Mach eine Generalprobe.

Im Theater wird kein Stück ohne Generalprobe aufgeführt. Und die mündliche Prüfung ist ja auch ein bisschen Theater. Also solltest du eine Generalprobe machen und dafür brauchst du kritische Zuschauer: deine Geschwister, deine Freunde, deine Eltern, Klassenkameraden oder andere Leute, die Deutsch verstehen.

Wie im Theater stehst du vor deinen Zuhörern, schaust sie an und machst deine Präsentation. Bitte deine Zuhörer vor der Präsentation, dich nicht zu unterbrechen. Bitte sie auch, sich Notizen zu machen, wenn sie etwas nicht verstehen, etwas besonders gut oder besonders schlecht finden.

Besprich nach dem Vortrag mit ihnen, was sie beobachtet haben. Und nimm deine Zuhörer bitte ernst. Wenn sie etwas nicht verstanden haben, liegt es wahrscheinlich an dir und nicht an ihnen!

Schritt 9: Bereite dich auf mögliche Fragen vor.

Wenn du mit deinem Referat fertig bist, folgt das abschließende Gespräch über das Referat. Dieses Gespräch beginnt der Prüfer/die Prüferin. Er/Sie wird dir Fragen zu deinem Referat stellen. Diese Fragen hängen natürlich vom Inhalt deines Referates ab. Aber du kannst dich darauf vorbereiten. Eine typische Frage lautet:

> Warum hast du dieses Thema ausgewählt?

Weil diese Frage eigentlich immer gestellt wird, solltest du sie möglichst schon in deinem Referat selbst beantworten. Die meisten Prüfer erwarten das. Und in dem Gliederungsschema (Schritt 3) ist die Begründung für das Thema auch vorgegeben. Wenn du das aber nicht tust, wird der Prüfer / die Prüferin sehr wahrscheinlich nachfragen und dann solltest du eine gute Antwort bereithaben.

Nun musst du überlegen, was der Prüfer / die Prüferin noch zu deinem Referat fragen könnte. Und da gibt es immer zwei Bereiche, nach denen gerne gefragt wird:

– der Bezug zu Deutschland
– der interkulturelle Vergleich

Vor allem wenn du selbst in deinem Referat nicht oder nur kurz auf einen interkulturellen Vergleich eingegangen bist, ist es sehr wahrscheinlich, dass jetzt nachgefragt wird.

Auf solche Nachfragen solltest du vorbereitet sein oder sie selbst in deinem Referat schon berücksichtigen.

Leseverstehen: Powertraining

Im Powertraining bearbeitest du einen ganzen Übungstest. Damit du dich daran erinnerst, was du im Basistraining gelernt hast, haben wir die Schritte und Memos noch einmal für dich abgedruckt.

Leseverstehen Teil 1

Schritt 1: Schau dir kurz die Wortliste an.

Du findest unten einen kurzen Lesetext. Der Text hat vier Lücken (Aufgaben 1–4).
Setze aus der Wortliste (A – H) das richtige Wort in jede Lücke ein. Einige Wörter bleiben übrig.

Wortliste

(A) Kälte – (B) Menschen – (C) beobachteten – (D) Lärm – (E) beschützten – (F) Stunden – (G) Nachricht – (H) untersuchten – (Z) Spatzen

Schritt 2: Lies den Textanfang mit dem Beispielwort.

- Beispielwort in der Wortliste durchstreichen.

Schritt 3: Finde zu jeder Lücke das passende Wort.

- Verwendete Wörter oder Buchstaben markieren.

Schritt 4: Überprüfe jede Lücke und jedes eingesetzte Wort.

- Alle Lücken füllen, keine Lücke leer lassen.

In Deutschland gibt es immer weniger __Z__ (0). Das hat der Naturschutzbund Deutschland herausgefunden. Der hat nämlich eine Vogelzählung organisiert: Ungefähr 40 000 __B__ (1) haben in Deutschland vor zwei Wochen bei der Aktion „Stunde der Gartenvögel" mitgemacht: Sie setzten sich eine Stunde auf ihren Balkon oder in den Park und zählten. Die Freizeit-Natur-forscher __C__ (2) mehr als 800 000 Vögel in dieser Zeit. Ganz genau schrieben sie auf, welche Vögel sie sahen. Jetzt will der Bund für Naturschutz herausfinden, warum so wenige Spatzen darunter waren.

Aber es gibt auch eine gute __G__ (3): In diesem Jahr gibt es wieder mehr Singvögel in Deutsch-land. Das freut die Tierschützer, denn viele Vögel können große __A__ (4) nicht aushalten und sterben schnell. Der strenge Winter hat ihnen aber offenbar nicht viel ausgemacht.

Schritt 5: Kontrolliere alle Lösungen.

Schritt 6: Bestimme die richtige Überschrift.

* Wichtige Wörter in den Überschriften unterstreichen.
* Bei A, B und C immer „NUR/VOR ALLEM" ergänzen.

A ☐ Singvögel in Deutschland

B ☑ Vogelzählung in Deutschland

C ☐ Der Naturschutzbund Deutschland

Leseverstehen Teil 2

Schritt 1: Markiere die wichtigen Informationen in den Situationen.

* Die Schlüsselwörter sind meistens Nomen und Verben. Achte auch auf Negationen.
* Schlüsselwörter unterstreichen. Wichtige andere Wörter einkreisen.

Kleinanzeigen in der Zeitung

0	Jürgen sucht seinen Hund. Der ist gestern im Park weggelaufen.	Z
6	Thomas möchte nach Spanien fahren. Dafür braucht er noch etwas Geld und sucht einen Ferienjob.	D
7	Henrietta sucht eine Familie, bei der sie in den Sommerferien ihren Hund lassen kann. Sie ist auch bereit, dafür zu bezahlen.	H
8	Ronald sucht einen billigen PC mit Bildschirm. Der Computer kann auch gebraucht sein.	A
9	Stefan sucht aus beruflichen Gründen einen Lehrer für Englisch.	G

Schritt 2: Markiere die wichtigen Informationen in Text A.

Schritt 3: Finde die passende Situation zu Text A.

Z	Ich habe gestern einen Schäferhund im Stadtpark gefunden. Er lief alleine mit seiner Leine durch den Park. Es ist ein Männchen von etwa acht Jahren. Der Hund sucht seinen Besitzer. Bitte anrufen unter Tel.: ...
A	Du suchst einen neuen Rechner? Warum so viel Geld ausgeben? Meiner ist fast wie neu, läuft unter Windows 8 und hat jede Menge Programme. Festplatte 500 GB. Flachbildschirm mit 21". Preis: nur € 175,–.

Schritt 4: Bearbeite die folgenden Texte wie in Schritt 2 und 3.

- Erst den Text lesen, dann die passende Situation suchen.
- Zugeordnete Texte und Texte ohne passende Situation durchstreichen.
- Auf Ähnlichkeiten und auf Unterschiede achten!
- Achtung: Wörtliche Übereinstimmungen können eine Falle sein.

B	Mein Bello sucht ein neues Zuhause. Ich bin über 85 und kann meinen Hund leider nicht mehr halten. Welche tierliebende Familie übernimmt einen Cocker-Spaniel? Er ist sieben Jahre, manchmal etwas lebhaft, aber kinderfreundlich. – Bitte nur melden, wenn Sie Hunde wirklich mögen. Tel.: …
~~C~~	Du brauchst einen neuen Computer? Wir haben sie alle. Und wir führen nur die neuesten Modelle zu besten Preisen. Alle Computer haben Flachbildschirm (21"), große Festplatte und Windows 8; zwei Jahren Garantie sind im Kaufpreis enthalten. Rufe noch heute an, Tel.: …
~~D~~	Bei uns werden deine Träume Wirklichkeit. Wenn du dringend Geld brauchst und schnell ein paar Euros verdienen willst, melde dich bei uns. Für eine kleine Vermittlungsgebühr bieten wir dir eine große Auswahl an Aushilfsjobs als Kellner, Zeitungsverkäufer, Fahrradkuriere u. Ä., Tel.: …
E	Sie sind freundlich zu anderen Menschen, kommunikativ und sprechen etwas Spanisch? Sie verlieren nie die Übersicht und sind auch bereit, einmal Überstunden zu machen? Dann sind Sie richtig bei uns. Wir suchen erfahrene Kellner/Kellnerinnen für unser Hotelrestaurant auf der Ferieninsel Mallorca. Tel.: …
F	Unsere Welt wird immer globaler! Wenn Sie als Geschäftsmann/-frau konkurrenzfähig bleiben wollen, brauchen Sie gute Fremdsprachenkenntnisse. Bei uns trainieren Sie in kommunikativen Situationen, die Ihren beruflichen Interessen entsprechen. Methodische Abwechslung, kombiniert mit viel Spaß, garantiert den Erfolg! Auch Einzelunterricht! Tel.: …
~~G~~	Sie wollen Ihr Englisch verbessern? Wir bieten Aufbaukurse für Lerner mit Grundkenntnissen. Wir arbeiten meistens ohne Buch. In kleinen Gruppen bereiten wir Sie auf alltägliche Situationen vor: im Restaurant, im Hotel, auf dem Flugplatz, beim Einkauf u. Ä. Interesse? Rufen Sie an! Tel.: …
~~H~~	Fahren Sie beruhigt in den Urlaub, wir kümmern uns um Ihren Vierbeiner. Wir garantieren: liebevolle Aufnahme in unsere Familie, zweimal Ausführen am Tag, tägliche Pflege des Fells und gesunde Ernährung. Ihr Hund wird sich auf unserem Bauernhof wohlfühlen.

Schritt 5: Kontrolliere alle Lösungen.

Leseverstehen Teil 3

Schritt 1: Verschaffe dir einen ersten Eindruck vom Text.

• Nur Anfang und Ende des Textes lesen. Das spart Zeit.

Mutige Tat eines 13-Jährigen

Auf dem Weg von der Schule zum Bauernhof seiner Eltern bemerkte ein 13-jähriger Junge in Norwegen vier Wölfe. Sie standen auf einem Hügel in der Nähe seines Wegs. Zunächst hielt er sie für Hunde – doch es waren vier ausgewachsene Wölfe.

Weil es in dieser Gegend in Norwegen viele Wölfe gibt, wissen auch Schulkinder, was in so einer Situation zu tun ist. Ihre Eltern haben ihnen das oft genug erzählt: Wenn sie einem Wolf begegnen, sollen sie ruhig bleiben und nicht weglaufen. Sonst wird der Jagdinstinkt der Tiere geweckt und sie verfolgen den Menschen.

All dies vergaß der 13-Jährige vor Schreck, als er die Wölfe sah. Stattdessen nahm er sein Handy und drehte den Ton auf volle Lautstärke. Aus dem kleinen Lautsprecher erklang Heavy-Metal-Musik. Dazu sprang er wild herum und schrie, um die Tiere zu erschrecken. Mit Erfolg: Die Wölfe drehten sich um und verschwanden. Ob es die Musik war oder seine Bewegungen, weiß niemand so genau.

Wölfe lebten früher in allen Teilen Europas. Heute kommen sie in Mitteleuropa nur noch selten vor. Seit einiger Zeit kommen sie aber in bestimmte Gegenden zurück. Vor Kurzem wurde sogar ein einzelner Wolf in Bayern gesehen. Viele Bauern haben Angst, dass die Wölfe ihre Tiere töten, und verfolgen sie. Vor allem Wanderer fürchten sich vor Wölfen. Ohne Grund, denn Wölfe machen keine Jagd auf Menschen.

Schritt 2: Markiere die wichtigen Informationen in den Aufgaben.

		richtig	falsch
10	In Norwegen vertrieb ein Schuljunge vier Wölfe vom Bauernhof seiner Eltern.	✓	
11	Wenn die Menschen sich ruhig verhalten, greifen Wölfe nicht an.	✓	
12	Die Wölfe liefen weg, weil der Junge die Ratschläge seiner Eltern befolgte.		✓
13	Heute gibt es in einigen Regionen in Mitteleuropa wieder Wölfe.	✓	
14	Wanderer müssen keine Angst vor Wölfen haben.		✓

Schritt 3: Finde die passende Textstelle zu jeder Aufgabe.

- Wörtliche Übereinstimmungen zwischen Aufgabe und Text können eine Falle sein.
- Die passenden Textstellen und die Aussagen stehen immer in derselben Reihenfolge.
- Nach jeder Aussage im Text dort weiterlesen, wo du aufgehört hast.
- Zu jedem Abschnitt gibt es immer eine Aussage oder keine.

Schritt 4: Kontrolliere die Lösungen.

Leseverstehen Teil 4

Schritt 1: Verschaffe dir einen ersten Eindruck vom Text.

Der junge Mann, der mich freundlich begrüßte, erzählte mir, wie lange er schon im Jugendarrest ist und wie er es dort findet. Es überraschte mich, dass er mir in Jeans und T-Shirt gegenübersaß. Ich hatte Jacke und Hose mit dunklen Streifen erwartet, so wie bei Gefangenen im Kino. Aber im Jugendarrest gibt es keine Kleidungsvorschriften.

Viele Leute können sich nicht vorstellen, welche Regeln es im Jugendarrest gibt. 14- bis 21-Jährige können bis zu vier Wochen im Gefängnis sitzen. Das nennt man Dauerarrest. In dieser Zeit dürfen Arrestanten, so werden die Jugendlichen hier genannt, keinen Kontakt zu Familie oder Freunden haben. Handys sind verboten. Für die jungen Leute ist das nicht einfach. Manche würden sehr gerne mit ihrer Mutter sprechen oder mit Freunden, denen sie vertrauen.

Der Tagesablauf ist genau geregelt: 5.45 Uhr aufstehen, 7 Uhr Frühstück, nur zweimal in der Woche duschen. Um 21 Uhr werden die Einzelzellen wieder geschlossen. Dann ist jeder alleine. Dann gibt es weder Radio noch Fernseher und keine MP3-Player; nur Lesen ist erlaubt.

Im Jugendarrest gibt es ein Punktesystem: Die Arrestanten, müssen sich an die Regeln halten. So dürfen sie zum Beispiel am Tag nicht auf dem Bett sitzen oder liegen. Machen sie es trotzdem, gibt es zwei Minuspunkte. Durch Freundlichkeit, Ordnung und gute Hygiene können die Arrestanten aber auch Pluspunkte sammeln und einen Tag früher entlassen werden, wenn sie genügend Punkte bekommen.

Die Wächter, die auf die jungen Leute aufpassen, heißen hier Aufseher. Die meistens sind zwischen 30 und 60 Jahre alt. Aber es gibt auch Aufseher, die nur ein paar Jahre älter sind als manche Jugendliche im Arrest. Die werden von den Arrestanten oft nicht so respektiert und ernst genommen wie die älteren.

Trotzdem ist das Verhältnis zwischen den Aufsehern und Arrestanten meistens gut. Wenn jemand doch einmal anfängt, herumzuschreien oder Lärm zu machen, versuchen die Aufseher, ihn mit Worten zu beruhigen. Wenn das nicht hilft, dürfen sie auch körperliche Gewalt anwenden. Aber das kommt nur selten vor.

Schritt 2: Markiere die wichtigen Informationen in den Satzanfängen der Aufgaben.

- In Schritt 2 nur auf die Satzanfänge konzentrieren.
- Der Satzanfang reicht, die passende Textstelle zu finden.

Aufgaben 15 – 20

15 Im Jugendarrest tragen die Jugendlichen

    A ☐ ihre eigene Kleidung.

    B ☐ gleiche Jeans und T-Shirts.

    C ☐ Kleidung mit dunklen Streifen.

16 Die Jugendlichen im Dauerarrest dürfen

    A ☐ gute Freunde sehen und sprechen.

    B ☐ mit ihren Eltern telefonieren.

    C ☐ mit niemandem Kontakt haben.

17 In ihren Zellen dürfen die Arrestanten

    A ☐ zweimal am Tag duschen.

    B ☐ abends nur lesen.

    C ☐ Radio hören oder fernsehen.

18 Die Arrestanten können früher entlassen werden, wenn sie

    A ☐ tagsüber ruhig auf dem Bett sitzen oder liegen.

    B ☐ wenig Punkte bekommen.

    C ☐ sich im Gefängnis gut verhalten.

19 Die Aufseher

    A ☐ sind ungefähr so alt wie die Arrestanten.

    B ☐ verstehen sich meistens gut mit den Arrestanten.

    C ☐ dürfen keine körperliche Gewalt anwenden.

Schritt 3: Finde die passenden Textstellen zu den Aufgaben 15 – 19.

- Aufgaben und Textstellen erscheinen immer in derselben Reihenfolge.
- Nummer der Aufgabe neben die passende Textstelle schreiben.
- Bei Unsicherheit Fragezeichen neben die Nummer der Aufgabe schreiben.

Schritt 4: Bestimme die richtige Aussagen in den Aufgaben 15 bis 19.

- Satzanfang und Aussage (A, B oder C) immer nacheinander mit der Textstelle vergleichen.

Schritt 5: Bestimme die richtige Aussage oder Überschrift in Aufgabe 20.

20 Der Autor möchte mit seinem Bericht

A ☐ die strengen Regeln im Dauerarrest kritisieren.

B ☐ Jugendliche vor den Gefahren im Dauerarrest warnen.

C ☒ über die Bedingungen im Jugendarrest informieren.

Schritt 6: Kontrolliere die Lösungen.

- Immer ein Kreuz machen. Vielleicht hast du Glück.

Leseverstehen Teil 5

Schritt 1: Schau dir den Beispieltext und die Überschrift Z an.

Ernährung und Gesundheit

0	Jeder kennt ihn: Popeye, den Zeichentrick-Seemann aus Amerika. Er ist berühmt da-für, dass er dauernd Spinat futtert und dadurch stark und unbesiegbar wird. Eigent-lich hat das niemand geglaubt, aber schwedische Wissenschaftler haben jetzt eine interessante Sache herausgefunden: Das grüne Gemüse hat tatsächlich eine beson-dere Wirkung. Im Spinat ist Nitrat enthalten und Nitrat galt lange als gesundheits-schädlich. Aber die schwedischen Forscher sagen: Das stimmt nicht. Nitrat sorgt tat-sächlich für starke Muskeln.	**Z**

Schritt 2: Markiere die wichtigen Informationen im ersten Text.

- Nicht alle Texte auf einmal lesen.

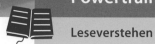
Schritt 3: Finde eine passende Überschrift für den ersten Text.

- Verwendete Überschriften durchstreichen.
- Meistens gibt es zwei oder mehr ähnliche Überschriften.

21	Kinder zwischen sechs und zehn Jahren sollen in Zukunft in der Schule Äpfel, Orangen, Bananen und Gemüse kostenlos bekommen. Das Programm der Europäischen Union zur Verteilung von Obst und Gemüse in den Schulen soll für eine bessere Ernährung der Kinder sorgen. Es gibt nämlich zu viele dicke Kinder in Europa. Für das Schulobst-Programm stellt die Europäische Union jährlich viele Millionen Euro zur Verfügung. Die Mitgliedsstaaten können daran teilnehmen, wenn sie bereit sind, einen Teil der Gesamtkosten zu bezahlen.	*F*
22	Gute Ernährung ist eine wichtige Voraussetzung für die optimale Entwicklung von Kindern. In der Kindheit wird der Grundstein für eine gesunde körperliche Entwicklung gelegt. Dabei hat der Körper von Kindern und Jugendlichen besondere Ansprüche an die Ernährung. Im Vergleich zu ihrem kleinen Körper müssen Kinder viel mehr essen als Erwachsene. Sie haben deswegen meist großen Hunger. Das ist normal. Erst im Laufe der Jahre passt sich die Ernährungsweise von Kindern und Jugendlichen an die von Erwachsenen an.	*E*
23	Wenn man im Sport erfolgreich sein möchte, muss man natürlich viel trainieren. Wichtig ist aber auch, dass man auf eine gesunde Ernährung achtet, denn für Kraft, Ausdauer und Konzentration braucht der Körper Energie und viele Nährstoffe. Die stecken in Vollkornprodukten, Fleisch, Milch, Gemüse und Obst. Man sollte also möglichst vielseitig essen. Außerdem ist auch wichtig, dass man genug trinkt, denn wenn man beim Trainieren schwitzt, verliert man viel Flüssigkeit.	*G*
24	Gesunde Ernährung und Süßigkeiten? Das passt nicht zusammen und Süßigkeiten sollte man ganz verbieten. Oder doch nicht? Klar ist, allgemeine Verbote können genau das Gegenteil bewirken. Ein gutes Beispiel ist die Aufforderung: „Das ist nichts für dich. Lass die Finger davon!" So ähnlich ist das bei Kindern und süßen Sachen. Wenn Eltern ihnen alle Süßigkeiten verbieten, sind die Kinder natürlich ganz wild darauf. Das kann zu Essstörungen oder Fettsucht führen – das heißt, die Kinder werden erst recht zu dick.	*D*

Überschriften

Z	Spinat macht stark
A	Kinder essen zu viel
B	Viel trinken schafft Energie
C	Millionen für gesundes Essen
D	Verbot von Süßigkeiten macht dick
E	Kinder sind meistens hungrig
F	Obstverkauf in der Schule
G	Richtiges Essen wichtig für Sportler
H	Kinder lieben süße Sachen

Schritt 4: Bearbeite die übrigen Texte wie in Schritt 2 und 3 beschrieben.

Schritt 5: Kontrolliere deine Lösungen.

Hörverstehen: Powertraining

Im Powertraining bearbeitest du einen ganzen Übungstest. Damit du dich daran erinnerst, was du im Basistraining gelernt hast, haben wir die Schritte und Memos noch einmal für dich an den passenden Stellen abgedruckt.

Das Powertraining wird über die CD gesteuert. Du kannst die CD aber jederzeit unterbrechen, wenn du die Erklärungen zu den Schritten im Basistraining noch einmal nachlesen möchtest.

Einige Erläuterungen auf der CD sind neu für dich. Sie kamen im Basistraining noch nicht vor.

Hörverstehen Teil 1

Schritt 1: Höre und lies die Einleitung.

 Teil 1: Pech gehabt

Du hörst gleich fünf Szenen. Sie spielen im Alltag verschiedener Personen. Zu jeder Szene gibt es drei Bilder.

Welches Bild passt? Kreuze beim Hören zu jeder Szene das richtige Bild (A oder B oder C) an.

Danach hörst du die Szenen noch einmal.

Schritt 2: Sieh die Bilder zu jeder Szene an und finde die wichtigen Informationen.

- Bilder genau anschauen, bevor der Hörtext beginnt.

Schritt 3: Höre den Text zu jeder Szene und erkenne das Thema.

Schritt 4: Kreuze das passende Bild nach dem ersten Hören an.

Szene 1
Sieh dir zuerst die Bilder an. Du hast dafür sechs Sekunden Zeit.

A ☐ B ☒ C ☐

Szene 2

Sieh dir zuerst die Bilder an. Du hast dafür sechs Sekunden Zeit.

A ☒   B ☐   C ☐

 Szene 3

Sieh dir zuerst die Bilder an. Du hast dafür sechs Sekunden Zeit.

A ☐   B ☐   C ☒

 Szene 4

Sieh dir zuerst die Bilder an. Du hast dafür sechs Sekunden Zeit.

A ☒   B ☐   C ☐

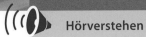
 1 49 **Szene 5**

Sieh dir zuerst die Bilder an. Du hast dafür sechs Sekunden Zeit.

A ☐   B ☒   C ☐

 1 50 **Schritt 5: Überprüfe deine Lösungen beim zweiten Hören.**

Hörverstehen Teil 2

Schritt 1: Höre und lies die Einleitung.

 1 51 ## Teil 2: Nachrichten auf dem Anrufbeantworter

Wenn man nicht zu Hause ist und jemand anruft, dann kann der Anrufer eine Nachricht auf den Anrufbeantworter sprechen.

Du hörst gleich vier Nachrichten auf dem Anrufbeantworter.

Lies zuerst die Aufgaben 6 – 9. Du hast dafür 60 Sekunden Zeit.

Schritt 2: Markiere die wichtigen Informationen in den Aufgaben.

- Schlüsselwörter unterstreichen, andere wichtige Wörter einkreisen.

Aufgaben 6 – 9

6 Heute Nachmittag

    A ☐ kommt Babsi früher heim.

    B ☒ geht Babsi mit Freunden zum Baden.

    C ☐ möchte Babsi mit den Eltern schwimmen gehen.

7 Carsten

A ☒ möchte einen neuen Termin ausmachen.

B ☐ will nächste Woche wieder anrufen.

C ☒ kann heute nicht zur Nachhilfe kommen.

8 Kerstin

A ☐ ist in der Nähe der Seehofstraße.

B ☐ will ihre Freundin gleich zurückrufen.

C ☒ kann den Weg zu ihrer Freundin nicht finden.

9 Heute hat Mirjam

A ☐ mit Kevin ihren Geburtstag gefeiert.

B ☒ den ganzen Tag auf Kevin gewartet.

C ☐ ihr Handy abgeschaltet.

 Schritt 3: Höre die Texte und erkenne die wichtigen Informationen.

- Schon beim ersten Hören eine Lösung ankreuzen.

Schritt 4: Löse die Aufgaben bei/nach dem ersten Hören.

 Schritt 5: Überprüfe deine Lösungen beim zweiten Hören.

- Bei jeder Aufgabe eine Aussage ankreuzen und nicht mehr.

Hörverstehen Teil 3

Schritt 1: Höre und lies die Einleitung.

 ## Teil 3: Interview mit dem Hausmeister

Herr Angermeier ist der Hausmeister einer Schule. Du hörst gleich ein Interview mit ihm, das im Schülerradio zu hören ist.

Lies zuerst die Sätze 10–14. Du hast dafür eine Minute Zeit.

Schritt 2: Markiere die wichtigen Informationen in den Aufgaben.

- Schlüsselwörter unterstreichen, andere wichtige Wörter einkreisen.

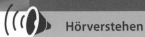

Aufgaben 10–14

		richtig	falsch
10	Der Hausmeister lobt die Reporter des Schülerradios.	✗	
11	Dem Hausmeister gefällt die Arbeit an der Schule nicht so gut.		✗
12	Vor der Schule ist das Rauchen nicht verboten.	✗	✗
13	Die Nachbarn beschweren sich über den Hausmeister.		✗
14	Die Putzfrauen müssen auch die Stühle sauber machen.		✗

Schritt 3: Mache aus jeder Aussage eine Frage.

 Schritt 4: Höre das Interview und löse die Aufgaben bei/nach dem ersten Hören.

- Reihenfolge der Aufgaben und der Inhalte im Text stimmt immer überein.
- Schon beim ersten Hören immer ein Kreuz machen.

 Schritt 5: Überprüfe deine Lösungen beim zweiten Hören.

Hörverstehen: Teil 4

Schritt 1: Höre und lies die Einleitung.

 ## Teil 4: Praktikum bei Lufthansa

Im Internet gibt es viele Webseiten, auf denen Praktikanten ihre Erfahrungen bei bestimmten Firmen beschreiben. Hier hörst du einen Bericht von Timo aus Frankfurt über sein Praktikum bei Lufthansa.

Lies zuerst die Aufgaben 15–20. Du hast dafür eine Minute Zeit.

Schritt 2: Markiere alle wichtigen Informationen in den Aufgaben und erkenne das Thema.

Aufgaben 15–20

15 Am ersten Tag wurden Timo und Lukas

A ☐ von einem Praktikanten am Flughafen empfangen.

B ☒ von einem Mitarbeiter zum Betreuungsdienst gebracht.

C ☐ vom Betreuungsdienst durch den Flughafen geführt.

Prüfungstraining | DSD Stufe 1 | © Cornelsen Schulverlage GmbH, Berlin. Alle Rechte vorbehalten.

16 Im Kinderraum

A ☐ gab es einen Computer zum Spielen für die Kinder.

B ☐ konnte sich Timo um die Kinder kümmern.

C ☒ war es auch ohne Kinder nicht langweilig.

17 Verschwundene Koffer werden

A ☐ an die Zentrale der Gepäckermittlung geschickt.

B ☐ innerhalb von fünf Tagen gefunden.

C ☒ in das Computernetz der Flugplätze eingegeben.

18 Im Sicherheitsbereich mussten die Freunde

A ☒ einem Passagier im Rollstuhl helfen.

B ☒ allen Passagieren beim Umsteigen helfen.

C ☐ sich um die Sicherheit der Passagiere kümmern.

19 Im Bereich Flugvorbereitung und Flugabfertigung wird

A ☒ die Beladung der Flugzeuge geplant.

B ☒ der Treibstoffverbrauch für jeden Flug berechnet.

C ☒ das Essen für die Passagiere vorbereitet.

20 In seinem Praktikum

A ☐ hat Timo der Umgang mit Passagieren viel Spaß gemacht.

B ☐ war Timo manchmal früh fertig mit der Arbeit.

C ☒ konnte Timo wichtige Erfahrungen sammeln.

🔊 1 _61_ **Schritt 3: Höre den Bericht und löse die Aufgaben beim ersten Hören.**

- Schon beim ersten Hören bei jeder Aufgabe ein Kreuz machen.

🔊 1 _62_ **Schritt 4: Überprüfe deine Lösungen beim zweiten Hören.**

- Bei jeder Aufgabe eine Aussage ankreuzen (und nicht mehr!).

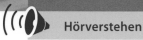
Hörverstehen Teil 5

Schritt 1: Höre und lies den ersten Teil der Einleitung.

 1 *63* **Teil 5: Vor- und Nachteile von Computerspielen**

Über die Vor- und Nachteile von Computerspielen kann man lange diskutieren. In den folgenden Berichten hörst du die Meinung von fünf jungen Leuten.

Lies zuerst die Liste mit den verschiedenen Aussagen (A – H). Du hast dafür 30 Sekunden Zeit.

Schritt 2: Markiere die wichtigen Informationen in den Aufgaben.

- Wichtige Wörter einkreisen.

Z	Es gibt auch gute Computerspiele.
A	Computerspiele haben keinen Einfluss auf das Verhalten.
B	Gewaltspiele darf ich nicht spielen.
C	Ein Verbot von Computerspielen in Deutschland ist nicht sinnvoll.
D	Gewaltspiele sind für junge Spieler gefährlich.
E	Ich spiele gern am Computer.
F	Schule und Eltern müssen richtig reagieren.
G	Mit Menschen spielen, nicht mit Computern!
H	Meine Computerspiele sind unterhaltsam.

Aufgabe	Buchstabe
0	Z
21	G
22	D
23	C
24	B

Schritt 3: Höre und lies den zweiten Teil der Einleitung.

 64 Notiere beim Hören zu jedem Bericht den richtigen Buchstaben (A–H).

Vier Buchstaben bleiben übrig.

Achtung! Du hörst die Berichte **einmal**. Zuerst hörst du ein Beispiel.

Dieser Bericht hat die Nummer 0.
Die Lösung ist Z.

 65-68 **Schritt 4: Höre die Texte und ordne jeder Aufgabe einen Text zu.**

- Aussagen und Hörtexte stehen <u>nicht</u> in derselben Reihenfolge.
- Zugeordnete Aussagen vorsichtig durchstreichen.
- Im Hörverstehen Teil 5 hörst du die Texte nur einmal.
- Nach jedem Hörtext immer sofort einen Buchstaben in die Lösungstabelle eintragen.
- Du hast nur eine Chance, nutze sie!

Nachdem du das gesamte Hörverstehen durchgearbeitet hast, musst du in der richtigen Prüfung deine Lösungen in das Antwortblatt übertragen. Das machen wir hier im Powertraining nicht. Du wirst das Antwortblatt in der nächsten Phase, im Abschlusstraining, kennenlernen.

Schriftliche Kommunikation: Powertraining

Im Powertraining kannst du an einem Schülerbeispiel üben, wie du die Aufgaben in der *Schriftlichen Kommunikation* bearbeiten kannst und welche Fehler du vermeiden solltest.

Lies zuerst die Aufgabe zur schriftlichen Kommunikation, aber bearbeite sie noch nicht.

Thema: Verbot von Smartphones

In einem Internetforum gibt es eine Diskussion zum Thema „Verbot von Smartphones in der Schule".

Du findest in diesem Forum folgende Aussagen:

Bianca: Wir müssen die Smartphones immer abschalten, aber niemand tut das. Dann stört es schon, wenn es immer klingelt. Also, ich bin gegen Smartphones an der Schule.

Alexandra: Smartphones zu verbieten ist ziemlich altmodisch. Unsere Lehrer wissen das doch. Ohne Smartphone lassen mich meine Eltern gar nicht aus dem Haus.

Severin: Ich will mich auf den Unterricht konzentrieren. Ich verstehe nicht, warum die Mädchen immer telefonieren oder SMS schreiben. Ich bin für ein Verbot von Smartphones an der Schule.

Johanna: Ich bin gegen ein Verbot von Smartphones. Ich brauche mein Smartphone auch in der Schule. Aber ich benutze es nur in der Pause, um kurz zu surfen oder meine E-Mails zu lesen.

Schreibe nun einen **Beitrag für die Schülerzeitung** deiner Schule.

Bearbeite in deinem Beitrag die folgenden drei Punkte:

- Gib alle vier Aussagen aus der Schülerzeitung **mit eigenen Worten** wieder.
- Wie ist das an deiner Schule? Gibt es bei euch ein Verbot von Smartphones? Berichte **ausführlich**.
- Was denkst du über ein/das Verbot von Smartphones an eurer Schule? Begründe deine Meinung **ausführlich**.

Du hast insgesamt 75 Minuten Zeit.

Du brauchst die Wörter nicht zu zählen!

Übung 1

a Lies jetzt den Brief, den Anna an die Schülerzeitung ihrer Schule geschrieben hat.

Hallo Leute, ich will euch schon lange schreiben, denn das Thema interessiert mich sehr. Ich kann ohne Smartphone nicht mehr leben. Ich nehme es immer mit, egal, wo ich hingehe.

Auch in der Schule habe ich mein Smartphone immer dabei. Ich störe aber niemanden, wenn ich im Unterricht mal schnell ins Internet gehe oder nachschaue, wer mir geschrieben hat. Danach schalte ich es sofort wieder aus. Deswegen bin ich gegen ein Verbot von Smartphones an der Schule.

Natürlich gibt es Leute, die anders denken, zum Beispiel Severin. Ihn stören die Mädchen, die so viel telefonieren oder immer Nachrichten schreiben. Ich kann Severin gut verstehen, aber es sind nicht nur die Mädchen, die im Unterricht das Smartphone benutzen. Die Jungen machen das auch.

Ohne Smartphone geht heute nichts mehr. Meine Eltern lassen mich ohne Smartphone gar nicht weggehen, genau wie die von Alexandra. Wenn unterwegs etwas passiert, kann ich gleich meine Eltern anrufen oder die Polizei. Das ist wichtig, denn bei uns passiert viel in der Stadt.

Auch in der Schule ist das Smartphone nützlich. Wenn man zum Beispiel in Englisch oder Deutsch ein Wort nicht weiß, kann man schnell im Internet nachschauen. Ich mache das oft so.

Wenn alle das Smartphone in der Schule abschalten, können sie doch niemanden stören. Aber es stimmt schon, dass viele das vergessen. Deswegen ist Bianca auch gegen Smartphones an der Schule. Ich kann das verstehen, aber ich möchte trotzdem nicht auf mein Smartphone verzichten, auch nicht an der Schule.

b Welche Aussagen über Annas Text sind <u>nicht</u> richtig? Kreuze an:

1. Sie hat einen Artikel für die Schülerzeitung an ihrer Schule geschrieben. ☐

2. Sie hat alle drei Aufgaben bearbeitet. ☐

3. Sie hat die Aufgaben nacheinander bearbeitet. ☑

4. Sie hat die Meinungen der anderen in eigenen Worten wiedergegeben. ☒ oops

5. Sie hat alle Meinungen vollständig wiedergegeben. ☑

6. Sie hat ihre eigenen Beobachtungen beschrieben. ☐

7. Sie hat passende Beispiele gefunden. ☑

8. Sie hat ihre eigene Meinung beschrieben. ☐

9. Sie hat ihre eigene Meinung ausführlich begründet. ☐

Übung 2

a   Lies den Beitrag von Anna noch einmal und unterstreiche alle Stellen, an denen sie die Meinung der anderen wiedergibt.

b   Unterstreiche auch alle Stellen, an denen Anna ihre eigene Meinung begründet oder mit Beispielen anschaulich macht.

Übung 3

Lies noch einmal Annas Beitrag und vergleiche ihn mit den vier Meinungen im Übungstest. Welche wichtigen Informationen aus den vier Meinungen fehlen bei Anna? Notiere:

Bei Bianca fehlt: _dass jeder die Smartphones nicht ausschaltest_

Bei Alexandra fehlt: _dass Lehrer auch wie sie denken_

Bei Severin fehlt: _dass er lernen will_

Bei Johanna fehlt: _alles_

Übung 4

Schau dir den Beitrag noch einmal an. Welche Teile fehlen ganz oder sollten ausführlicher sein?

Übung 5

a   Schreibe den Beitrag von Anna neu. Schreibe einen Leserbrief oder einen Artikel. Ergänze die fehlenden Teile und Informationen (vgl. Übung 3 und 4).

Wenn du anderer Meinung bist als Anna, kannst du natürlich auch einen eigenen Leserbrief oder einen Artikel schreiben. Orientiere dich dabei an den Schritten 4 bis 12 im Basistraining (ab Seite 72).

b   Kontrolliere deinen Beitrag mit der Checkliste im Basistraining auf Seite 82.

Wie du sicher schon bemerkt hast, gibt es in diesem Trainer kaum Hinweise zur sprachlichen Richtigkeit. Das liegt daran, dass das Training der sprachlichen Richtigkeit sehr viel Zeit benötigt und ganz besondere Übungen, die mit der Prüfung gar nichts zu tun haben. Wenn du in diesem Prüfungsteil viele sprachliche Fehler machst, dann frage deinen Lehrer / deine Lehrerin. Er/Sie kann dir bestimmt sagen, was du machen kannst, um deine Sprachrichtigkeit zu verbessern.

Mündliche Kommunikation: Powertraining

Im Powertraining hörst du Beispiele für mündliche Prüfungen. Du analysierst und bewertest die Antworten und sprichst dann eigene Antworten. Am besten ist es, wenn du die eigenen Antworten mit einem Aufnahmegerät (z. B. einem Smartphone) aufnehmen und wieder anhören kannst.

Teil 1: Das einleitende Gespräch

Übung 1

2 | **1**   **Höre die Vorstellung zur mündlichen Prüfung. Worüber spricht die Kandidatin? Kreuze an.**

über …

☐ ihren Namen   ☐ den Namen der Schule   ☐ ihr Alter

☐ ihre Hobbys   ☐ ihren Wohnort   ☐ das Land, in dem sie lebt

☐ ihren Lehrer / ihre Lehrerin   ☐ ihre Familie   ☐ das Wetter

Wie du gehört hast, gibt die Kandidatin nur ganz wenige Informationen über ihre Person: Sie sagt ihren Namen, ihren Wohnort, das Land, in dem sie lebt, und den Namen der Schule. Mehr brauchst auch du nicht zu sagen, wenn du dich zu Beginn der Prüfung vorstellst. Du solltest aber darauf achten, dass die Vorstellung sprachlich in Ordnung ist. Es macht keinen guten Eindruck, wenn du schon in diesem Teil viele Fehler machst.

Übung 2

a   **Notiere, wie du dich in der Prüfung vorstellen möchtest.**

b   **Nimm deine Antwort auf, ohne auf deine Notizen zu schauen.**

c   **Höre deine Vorstellung an. Zufrieden? Wenn nicht, nimm deine Antwort noch einmal auf.**

Nach der Vorstellung beginnt das eigentliche Gespräch zwischen dem Prüfer / der Prüferin und dir.

Übung 3

2 | **2**   a   **Höre das einleitende Gespräch zu einer Prüfung. Notiere alle acht Fragen der Prüferin.**

b   **Welche Fragen sind ähnlich wie im Fragenkatalog (Seite 169/170)? Notiere die Nummern.**

Achte immer genau auf die Fragen des Prüfers / der Prüferin. Wie du gehört hast, hält sich der Prüfer / die Prüferin nicht ganz genau an die Fragen aus dem Katalog. Manchmal will er/sie die Frage nur etwas genauer einleiten, wie im folgenden Beispiel:

> Und auf der Schule hast du ein Lieblingsfach – das weiß ich schon –, erzähle mal ein bisschen, was das ist.

Oder er/sie will zu einem anderen Thema überleiten, zum Beispiel:

> Du hast gesagt, zu Hause entspannst du dich.
> Was machst du denn da, um dich zu entspannen?

Oder er/sie stellt eine Ergänzungsfrage, um noch etwas mehr von dem Kandidaten / der Kandidatin zu erfahren, zum Beispiel:

> Und Nachrichten siehst du auch?

Lass dich von den vielen Worten des Prüfers nicht irritieren. Meistens geht es doch nur um die bekannten Fragen aus dem Katalog, zum Beispiel:

– Wie sieht für dich ein ganz normaler Schultag aus?

– Dein Lieblingsfach ist _____ . Warum?

– Deine Lieblingsserie ist _____ . Worum geht es? Was passiert?

– Hilfst du im Haushalt? Warum (nicht)?

Wie du im Basistraining gelernt hast, fragt der Prüfer / die Prüferin manchmal direkt nach einer Begründung und manchmal ist das *Warum* in der Frage versteckt.

Übung 4

In welcher Frage in Übung 3 gibt es ein *verstecktes Warum*? Formuliere die Frage so, dass darin ein *Warum* vorkommt.

Übung 5

a   Lies den ersten Teil des einleitenden Gesprächs noch einmal. Markiere die Begründungen, die die Schülerin verwendet.

> Wie sieht für dich ein ganz normaler Schultag aus?

> Zuerst wache ich auf – um sechs oder sieben –, denn es hängt vom Tag ab, wann die Schule beginnt. Dann wasche ich mich und mache mich fertig für die Schule. Dann laufe ich zum Bus, weil ich immer zu spät bin. In der Schule habe ich Unterricht von acht oder neun Uhr bis zwei oder drei oder vier Uhr. Und dann gehe ich mit meiner Freundin – dann gehe ich nach Hause. Dann entspanne ich mich und wir machen was zusammen, ja, ganz normale Sachen und – natürlich – mache ich meine Hausaufgaben oder wir hören Musik.

b   Formuliere die Antwort der Schülerin neu. Ergänze weitere Begründungen.

c   Nimm deine Antwort auf, ohne auf deine Notizen zu schauen.

d   Höre deine Aufnahme an. Zufrieden? Wenn nicht, nimm deine Antwort noch einmal auf.

Übung 6

a   Lies die Antwort auf die Frage nach dem Lieblingsfach. Markiere die Begründungen, die die Schülerin verwendet.

> Und auf der Schule hast du ein Lieblingsfach – das weiß ich schon –, erzähle mal ein bisschen, was das ist.

> Ah ja, das ist Mathematik – weil das so Spaß macht, und es ist sehr logisch und man kann so viele Sachen mit Mathe tun. Und weil ich Mathe mag, mag ich auch Physik, weil das auch logisch ist. Ja, ich interessiere mich wirklich für diese Fächer.

b   Formuliere deine eigene Antwort auf diese Frage. Achte auf sinnvolle Begründungen. Unterstreiche die Begründungen in deinem Text.

c   Nimm deine Antwort auf, ohne auf deine Notizen zu schauen.

d   Höre deine Aufnahme noch einmal an. Zufrieden? Wenn nicht, nimm deine Antwort noch einmal auf.

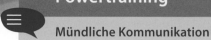

Der Prüfer / Die Prüferin erwartet, dass du deine Aussagen begründest. Wenn du deine Aussagen immer begründest, wird dich der Prüfer / die Prüferin selten unterbrechen.

Trotzdem sind die meisten Antworten im einleitenden Gespräch ziemlich langweilig. Das liegt daran, dass die Schüler gerne „sichere" Antworten geben oder vergessen, anschauliche Beispiele zu präsentieren. Außerdem haben sie das Gefühl, dass die Prüfenden unbedingt etwas Positives hören wollen, aber deine Antwort ist auch interessant, wenn nicht alles positiv und schön ist.

Übung 7

a **Lies jetzt noch einmal die Antwort auf die Frage nach der Lieblingsserie der Schülerin. Markiere die Beispiele, die die Schülerin verwendet.**

> Und was schaust du dir am liebsten an? Hast du vielleicht eine Lieblingsserie?

> Ja schon, ich schaue gerne Komödien, sehr viel lustige Filme oder auch … vielleicht auch Krimiserien. Ja, meistens Serien.

b **Was fehlt in dieser Antwort der Schülerin? Notiere möglichst genau.**

c **Formuliere deine eigene Antwort auf die Frage der Prüferin. Achte dabei auf das *versteckte Warum* und verwende persönliche Beispiele.**

d **Nimm deine Antwort auf, ohne auf deine Notizen zu schauen.**

e **Höre deine Aufnahme an und beantworte die Fragen.**

Hast du alle Antworten zu deiner Lieblingsserie begründet?	☐ ja	☐ nein
Hast du konkrete Beispiele benutzt?	☐ ja	☐ nein

f **Bist du mit deiner Antwort zufrieden? Wenn nicht, nimm sie noch einmal auf.**

Es ist wichtig, dass du deine Antworten mit persönlichen Beispielen interessant und anschaulich machst. In der Prüfung, die du eben gehört hast, hat die Schülerin nur wenig über ihre Lieblingsserien im Fernsehen gesagt. Deswegen stellt die Prüferin eine Zusatzfrage und will wissen, ob sie auch Nachrichten anschaut. Darauf kann die Schülerin keine überzeugende Antwort geben und fängt wieder an, von Filmen „und so Sachen" zu reden. In der folgenden Übung 8 kannst du selbst eine bessere Antwort formulieren.

Übung 8

a   Lies noch einmal diese Frage und die Antwort der Schülerin.

> Und Nachrichten siehst du auch?

> Ich interessiere mich nicht so sehr für die Nachrichten. Lieber Filme und so Sachen.

b   Formuliere deine eigene Antwort auf die Zusatzfrage der Lehrerin. Achte auf das *versteckte Warum* und das persönliche Beispiel.

d   Nimm deine Antwort auf, ohne auf deine Notizen zu schauen.

d   Höre deine Aufnahme noch einmal an. Zufrieden? Wenn nicht, nimm deine Antwort noch einmal auf.

An diesem Beispiel kannst du sehen, wie wichtig es ist, die eigenen Aussagen nicht nur zu begründen, sondern auch anschauliche Beispiele zu verwenden. Auf diese Art kannst du Zusatzfragen des Prüfers / der Prüferin vermeiden, auf die du vielleicht keine gute Antwort geben kannst, vor allem dann nicht, wenn du aufgeregt bist.

Übung 9

a   Lies die letzten drei Fragen und die Antworten.

> ● Hilfst du auch im Haushalt oder hast du zu viel zu tun?
>
> ▶ Nein, ich räume mein Zimmer auf und dann helfe ich auch in der Wohnung, zum Beispiel beim Staubsaugen, und in der Küche leere ich die Geschirrspülmaschine und dann, ja, manchmal koche ich auch …
>
> ● Was kochst du denn?
>
> ▶ … Leichte Sachen, leichtes Essen.
>
> ● Etwas, was dir schmeckt?
>
> ▶ Ja.
>
> ● Das ist interessant.

b   Warum stellt die Prüferin die beiden Zusatzfragen? Notiere.

c Formuliere die Antwort der Schülerin neu. Formuliere sie so, dass die Prüferin keine Zusatzfragen stellen muss.

d Nimm deine Antwort auf, ohne auf deine Notizen zu schauen.

e Höre deine Aufnahme noch einmal an. Zufrieden? Wenn nicht, nimm deine Antwort noch
einmal auf.

Wahrscheinlich sind deine Antworten jetzt besser als die Antworten der Schülerin. Das ist aber nicht
überraschend, denn du hast hier ja in kleinen Schritten gelernt, worauf du achten musst, wenn deine
Antworten gut werden sollen.

Teil 2: Die Präsentation

In diesem Teil des Powertrainings wirst du Ausschnitte aus einem Referat hören und analysieren. Das
Referat hat eine Schülerin in Spanien gehalten. In diesem Referat geht es um den Themenbereich
„Umwelt".

Übung 1

 Höre dir an, wie dieser Teil der Prüfung beginnt, und notiere den genauen Titel des Referats.

Auch in deiner Prüfung wird dich jemand bitten, mit deinem Referat zu beginnen. In dieser Prüfung
hier macht der Vorsitzende die Überleitung:

> Also, das war der erste Teil der Prüfung, jetzt machen wir weiter
> mit dem zweiten Teil. Bitte stelle uns dein Thema vor.

Nach dieser Aufforderung kommt dein erster „Auftritt". Du hast jetzt ungefähr fünf Minuten, deinen
Vortrag zu halten. In dieser Zeit wird dich der Prüfer/die Prüferin nicht unterbrechen. Du bist also ganz
alleine auf dich gestellt.

Übung 2

 a Höre noch einmal den Anfang des Referates. Notiere alle Wörter, die mit dem Thema „Umwelt" zu tun haben.

b Wenn du nicht alles verstehen konntest, lies den Text und unterstreiche die Wörter.

> In meiner Schule habe ich ein Projekt über „Umwelt" gemacht und wir haben
> über verschiedene Umweltprobleme gesprochen, zum Beispiel über den Treib-
> hauseffekt und die Müllproduktion. Und daraus habe ich mein Einzelthema
> gemacht: „Das Umweltschutzprogramm in unserer Stadt".

Wie du gehört hast, hat die Schülerin viele Fachwörter aus dem Bereich „Umwelt" verwendet. Das zeigt, dass sie mit dem Thema vertraut ist. Und das sollte auch in deinem Referat so sein.

Also denke daran, dass es sehr wichtig ist, einen guten Wortschatz zu haben. Noch ist Zeit, deinen Wortschatz zu verbessern. Und bedenke auch, dass der besondere Wortschatz für dein Thema ganz wichtig für das abschließende Gespräch ist. – Wenn du die vielen schönen Fachwörter nur in deinem Referat anwenden kannst und später nicht mehr aktiv verwendest, ist das nur halb so gut, wie es sein könnte. Die Wörter musst du also wirklich lernen und üben und nicht nur im Referat verwenden.

Aber natürlich kommt es nicht nur auf den Wortschatz an. In der Einleitung zu deinem Referat geht es vor allem um das Thema und die Frage, was du mit deinem Referat zeigen willst. Da sind die W-Fragen wieder nützlich.

Übung 3

Lies noch einmal die Einleitung der Kandidatin und beantworte dann die folgenden Fragen.

Wer? _____

Wann? _____

Wo? _____

Was? _____

Worum geht es? _____

Was will sie zeigen/machen/untersuchen? _____

Wie du siehst, gibt die Schülerin auf die meisten Fragen eine Antwort, aber sie sagt zum Beispiel nicht, wann das Projekt stattgefunden hat. Sie sagt auch nicht genau, worum es geht und was sie in ihrem Referat zeigen/machen will. Das kann man leicht verbessern.

Übung 4

Formuliere die Einleitung der Schülerin neu und ergänze dabei folgende Informationen.

Wann? – Im vergangenen Schuljahr

Worum geht es? – Die Maßnahmen der Stadt zur Verbesserung des Umwelt-schutzes in (Name der Stadt)

Was will ich zeigen/machen/untersuchen? – Was für Maßnahmen sind das? Wie wirksam sind sie? Was könnte man noch machen?

Es ist gut, wenn du in der Einleitung zu deinem Referat, nicht nur den Titel nennst. Du sollst auch darüber informieren, wie du zu dem Thema gekommen bist, wann und wo die Sache, von der du berichtest, stattgefunden hat, worum es dabei geht und was du in deinem Referat zeigen, machen oder untersuchen willst. Anders formuliert: Du solltest schon in der Einleitung sagen, was deine Zuhörer erwartet. Außerdem ist es sinnvoll, schon gleich zu Anfang zu sagen, warum du das Thema gewählt hast.

Übung 5

Ergänze in deiner Einleitung (Übung 4) noch, warum du das Thema gewählt hast.

Sehr gut ist es, wenn in der Begründung deutlich wird, wie wichtig dir das Thema ist. Das solltest du auch deutlich sagen. Aber denke von Anfang an auch daran, dass dein Referat sachlich sein soll. Wenn du zu viel Emotion zeigst, dann kann es leicht passieren, dass man dich nicht ernst nimmt. Also versuche, sachlich, aber aus persönlicher Überzeugung zu sprechen.

Übung 6

Welche Begründung für das Thema ist am besten? Kreuze an und begründe deine Auswahl.

A ☐

> Ich habe das Thema gewählt, weil ich mich schon immer für Umweltschutz interessiert habe und weil ich es interessant finde. Außerdem haben wir es ja in der Schule behandelt. Und das fand ich auch interessant. Deswegen habe ich das Thema genommen.

B ☐

> Ich habe das Thema gewählt, weil ich mich schon immer für Umweltschutz interessiert habe und weil ich der Meinung bin, dass wir noch viel zu wenig tun, um unsere Umwelt zu schützen. Deswegen finde ich es sehr gut, dass unsere Stadt damit begonnen hat, Maßnahmen zum Schutz der Umwelt zu ergreifen.

C ☐

> Umweltschutz ist ganz wichtig. Davon bin ich fest überzeugt. Wir brauchen eine Welt, die gesund und schön ist. Ich will nicht im Schmutz und Abfall leben. Der Müll auf den Straßen ist schrecklich. Die Leute müssen lernen, dass das nicht geht. Deswegen habe ich dieses Thema gewählt.

Wenn die Einleitung geschafft ist, geht es weiter mit den eigentlichen Informationen. In unserem Beispiel berichtet die Kandidatin über einige Aktionen der Stadt zum Umweltschutzprogramm.

Übung 7

 a **Höre den ersten Teil des Referates und notiere die Beispiele, die die Schülerin gibt.**

b Wenn du nicht alles verstehst, lies den Text und unterstreiche die Beispiele.

> Der Bürgermeister hat viele Aktionen geplant. Und die Stadt hat auch schon viel gemacht. Zum Beispiel haben sie Flyer verschickt. Außerdem haben sie auf der Straße Aufkleber verteilt.
>
> Dann gab es auch eine Aktion in den Restaurants. Sie dürfen zum Beispiel keine Plastikflaschen mehr verwenden, damit sie weniger Müll produzieren. Und das haben sie auch in Cafés und Hotels so gemacht. Bis jetzt ist das freiwillig. Aber das soll bald Pflicht werden.
>
> Eine andere Aktion ist das Recycling. Da bekommen die Leute Tipps, damit sie nur das kaufen, was sie wirklich brauchen. Dabei lernen sie, wie wir alle weniger Müll produzieren können. Außerdem können wir Papier auf beiden Seiten beschreiben. Und dann sollen wir eine Einkaufsliste vor dem Einkaufen machen. Dann kaufen wir weniger ein.
>
> Im nächsten Jahr werden Container aufgestellt für gefährlichen Müll, also für Batterien, Handys und Fernseher. Der Müll wird dann eingesammelt von der Stadt und recycelt. Das ist wichtig, weil diese Sachen giftig sind.
>
> Eine andere Aktion heißt Agenda 21. Das ist ein Programm für die Entwicklung des Umweltschutzes im 21. Jahrhundert und unsere Schule nimmt daran teil. Wir müssen zum Beispiel unsere Müllproduktion reduzieren und in der Schule Wasser und Strom sparen. Da müssen auch alle Schüler mitmachen.

Wie du schon weißt, sind neben den Beispielen vor allem auch die Begründungen wichtig.

Übung 8

Lies den Text über die Aktionen der Stadt noch einmal und unterstreiche alle Begründungen.

Du hast bestimmt bemerkt, dass es gar nicht so leicht ist, zu erkennen, wo die Schülerin ihre Aussagen begründet. Das liegt natürlich daran, dass sie fast nur über Fakten und Beispiele berichtet. Das ist so weit in Ordnung, aber auch in so einem Fall ist es durchaus möglich, sachliche Gründe für die Aktionen zu nennen.

Übung 9

Formuliere den Abschnitt über die Aktionen der Stadt neu und verwende dabei einige der folgenden Begründungen. Wähle die aus, die dir am wichtigsten erscheinen.

- Damit soll auf die Probleme aufmerksam gemacht werden.
- Müll verschmutzt das Wasser und die Luft.
- In Spanien gibt es nicht viel Wasser.
- Gifte aus technischen Geräten gehen ins Grundwasser.
- Viele Menschen wissen gar nicht, was los ist.
- Vergiftetes Wasser ist gefährlich für Menschen und Tiere.
- Auf der ganzen Welt wird Wasser knapp.
- Die Verpackung erzeugt viel Müll.
- Plastikflaschen zersetzen sich nicht, sie erzeugen viel Müll.

– Plastikmüll im Meer ist gefährlich für die Fische.
– Viele Menschen kümmern sich nicht um die Umwelt.
– Die Erzeugung von Energie belastet die Umwelt.

Neben den sachlichen Gründen, die in so einem Text wichtig sind, geht es natürlich auch um deine Meinung und Wertung.

Übung 10

Bewerte diese Aktionen. Sage, was dir gefällt und was dir nicht gefällt oder was man besser oder anders machen könnte.

Übung 11

 Höre und lies den nächsten Teil des Referates. Was macht die Kandidatin? Schreibe die passenden Buchstaben vor die Textteile.

A   Sie berichtet über Fakten.
B   Sie sagt ihre Meinung.
C   Sie lobt die Stadt.
D   Sie begründet die Aktionen.
E   Sie begründet ihre Meinung.
F   Sie kritisiert die Aktionen.
G   Sie gibt (persönliche) Beispiele.

(0) __A__ Einmal im Jahr treffen sich alle Teilnehmer im Rathaus. Also, die Schüler und die anderen, die bei Agenda 21 teilnehmen. Dort erzählen sie dann über ihre Ergebnisse.

(1) _____ Wir haben im Rathaus eine Grafik gezeigt: Auf der Grafik kann man sehen, wie sich die Müllproduktion pro Einwohner in den letzten vier Jahren entwickelt hat. Die Grafik zeigt, dass die Müllproduktion in den letzten vier Jahren um 15 % zugenommen hat. (2) _____ Da hat die Sensibilisierung der Einwohner noch nicht funktioniert. Da muss das Rathaus noch viel tun.

(3) _____ Und hier in meinem Viertel gibt es ein Haus. Die Besitzer haben Solarzellen installiert

(4) _____ und jetzt ist für die Bewohner alles besser und ihnen geht es sehr gut.

(5) _____ Und hier, das Plakat, das ist die Werbung für die Aktion „Recycling". Da steht auf Spanisch: weniger – wiederverwenden – und wiederverwerten. (6) _____ Das finde ich gut. Vielleicht hilft es ja in Zukunft.

(7) _____ Und das ist ein Becher. Den benutzt man auf Feiern hier in unserer Stadt. Da muss man einen Euro für den Becher bezahlen, wenn man etwas trinken will. Und wenn man fertig ist, bekommt man den Euro zurück.

Du hast sicher erkannt, dass die Kandidatin auch im zweiten Teil des Referates fast nur über die Aktionen der Stadt berichtet. Sie formuliert aber auch eine eigene Meinung und an einer Stelle übt sie auch Kritik. Das ist sehr gut. Das sollte sie aber häufiger tun.

Außerdem sollte sie mehr über ihre eigene Person berichten. Sie gehört ja zu den Schülern, die im Rathaus dabei waren, und außerdem würde es jeden Zuhörer interessieren, was sie persönlich über das Haus mit Solarzellen in ihrem Viertel denkt oder über die Aktion mit den Bechern.

Übung 12

Formuliere den zweiten Teil (Text in Übung 11) neu. Arbeite die positive persönliche Erfahrung deutlicher heraus.

Du hast nun zwei Ausschnitte aus dem Referat der Schülerin gehört, gelesen und überarbeitet. Dabei hast du einige Beobachtungen gemacht:

Die Schülerin …
– hat viele Informationen und kennt viele Fakten.
– kennt viele Fachwörter.
– formuliert gelegentlich eine eigene Meinung.
– übt an einer Stelle zu Recht Kritik.

Die Schülerin müsste …
– mehr über ihre eigene Meinung sagen.
– die eigene Meinung gut begründen.
– deutlicher werten und kritisieren oder loben.
– viel mehr über ihre persönlichen Erfahrungen berichten.

Bisher hast du dich nur auf den Text konzentriert. Schauen wir uns jetzt die Medien an.

Übung 13

a **Notiere, welche Medien die Schülerin im zweiten Teil ihres Referates (Übung 11) eingesetzt hat.**

b **Lies noch einmal den ersten Teil des Referates (Übung 7 b) und notiere, an welchen Stellen die Schülerin sinnvoll Medien einsetzen könnte.**

Jetzt kannst du das ganze Referat noch einmal bearbeiten.

Übung 14

Lies dein eigenes Referat noch einmal durch. Notiere am Rande, wo du welche Medien einsetzen kannst. Überprüfe dein Referat danach anhand der Checkliste.

- Wortschatz stimmt
- Fachwörter richtig
- genügend Informationen und Fakten
- eigene Meinung deutlich herausgearbeitet
- eigene Meinung gut begründet
- Fakten/Informationen bewertet
- Bewertung begründet
- eigene Erfahrungen beschrieben
- Medien sinnvoll eingesetzt

Nach dem Referat geht es sofort weiter mit dem Gespräch über das Referat.

Übung 15

 a Höre und lies die Überleitung zum abschließenden Gespräch. Was will die Prüferin wissen? Notiere.

b Wenn du die Frage nicht verstanden hast, lies, was die Prüferin sagt.

> Danke, Isabel, das war sehr interessant. Ich möchte kurz noch einmal auf das zurückkommen, was du gesagt hast. Du hast gesagt, den Besitzern von dem Haus mit den Solarzellen geht es jetzt besser. Was heißt das? Warum geht es denen jetzt besser?

c Warum stellt die Prüferin diese Rückfrage? Notiere.

Übung 16

 a Höre und lies noch einmal die Überleitung der Prüferin und Isabels Antwort.

> Danke, Isabel, das war sehr interessant. Ich möchte kurz noch einmal auf das zurückkommen, was du gesagt hast. Du hast gesagt, den Besitzern von dem Haus mit den Solarzellen geht es jetzt besser. Was heißt das? Warum geht es denen jetzt besser?

> Weil die Solarzellen am Anfang … weil sie viel Geld kosten, aber wenn ein bisschen Zeit vergangen ist, geht es besser. Ja.

b   Was will Isabel in ihrer Antwort sagen? Notiere.

c   Warum ist ihre Antwort nicht besonders gut? Welches Problem hat sie? Notiere.

Auch hier zeigt sich wieder, wie wichtig es ist, einen guten Wortschatz zu haben und bei allen Aussagen im Referat über eine sinnvolle Begründung nachzudenken. Lehrer haben „eine gute Nase" für die fehlenden Begründungen. Sie lieben es, bei solchen Lücken Nachfragen zu stellen. Deswegen ist es besser, wenn du ihnen dazu keine Chance gibst. Achte darauf, dass deine Aussagen von Anfang an anschaulich und gut begründet sind.

Ganz ähnlich ist das bei der nächsten Frage und Antwort.

Übung 17

2 9   **a**   Höre und lies die nächste Frage der Prüferin und Isabels Antwort.

> Und dann hast du ganz am Anfang etwas über Flyer und die Aufkleber gesagt. Was stand auf diesen Flyern und Aufklebern?

> Nein, diese Aktion ist nur geplant, sie hat es noch nicht gegeben. Das wollen sie machen. Aber dieses Plakat hier über die Agenda 21, das wird in der Stadt aufgehängt.

b   Warum stellt die Prüferin diese Frage? Was meinst du? Notiere.

c   Vergleiche Isabels Antwort mit dem Text in Übung 7 b. Was fällt auf? Notiere.

Wie du siehst, ist es sehr wichtig, die sachlichen Zusammenhänge im Referat richtig zu beschreiben. Wenn du da einen Fehler machst, kann das schnell zu Rückfragen des Prüfers führen. Und dann ist es schwierig, in der Aufregung den Fehler oder die Ungenauigkeit zu klären. Also sei in der Vorbereitung kritisch bei deinem eigenen Text.

Im letzten Teil des Gesprächs stellt die Prüferin noch Fragen, die über das hinausgehen, was Isabel in ihrem Referat bereits gesagt hat.

Übung 18

 2 *10* **Höre die letzte Frage. Was möchte die Prüferin von Isabel wissen? Kreuze die richtigen Aussagen an.**

Sie möchte wissen, …

A ☐ was Jugendliche in Deutschland über den Umweltschutz wissen.

B ☐ was in Deutschland für den Umweltschutz getan wird.

C ☐ was Isabel in der Arbeitsgruppe über Umweltprobleme gelernt hat.

D ☐ welche Umweltmaßnahmen Isabel an der Schule in Deutschland beobachtet hat.

E ☐ welche Umweltprobleme es in Deutschland gibt.

F ☐ warum Isabel in der Arbeitsgruppe zum Thema „Umwelt" mitgearbeitet hat.

Gerade im letzten Teil der mündlichen Prüfung ist es sehr wichtig, dass du genau verstehst, was der Prüfer / die Prüferin fragt. Dann kannst du auch genau antworten.

Übung 19

 2 *11* **Höre diesen Teil der Prüfung noch einmal. Welche Rückfrage stellt die Schülerin? Notiere.**

Wenn du eine Frage nicht richtig verstehst, solltest du besser rückfragen. Das zeigt dem Prüfer / der Prüferin auch, dass du im Gespräch gut reagieren kannst, zum Beispiel so:

> Entschuldigung, das habe ich nicht richtig verstanden. Könnten Sie die Frage bitte wiederholen?

> Entschuldigung, aber ich weiß nicht, ob ich Sie richtig verstanden habe. Könnten Sie die Frage noch einmal wiederholen?

> Ich bin nicht sicher, ob ich Ihre Frage richtig verstanden habe. Könnten Sie die Frage bitte noch einmal stellen?

Übung 20

2 *12* **a** **Höre den letzten Teil der Prüfung noch einmal. Was erwartet die Prüferin? Kreuze an.**

Sie erwartet …

A ☐ eine Zusammenfassung des Referates.

B ☐ einen kurzen Bericht über den Schüleraustausch.

C ☐ einen interkulturellen Vergleich / einen Bezug zu Deutschland.

D ☐ eine persönliche Wertung der Schülerin.

b **Welche Erkenntnis hat die Schülerin in der Gruppenarbeit gewonnen? Notiere.**

Im letzten Teil der Prüfung stellt die Prüferin einen Bezug zu Deutschland her. Daran siehst du, wie wichtig es ist, sich immer schon bei der Vorbereitung des Referates auch darüber Gedanken zu machen.

Außerdem bittet die Prüferin um eine persönliche Wertung. Auch das kommt häufig vor. In deiner Antwort kannst du ganz persönliche Dinge sagen, auch kritische. Und denke daran, deine Wertung hat meistens auch damit zu tun, warum du dieses Thema gewählt hast.

Leseverstehen: Abschlusstraining

Mit den Arbeitsschritten, die du im Basistraining und Powertraining zum Leseverstehen eingeübt hast, kannst du die Prüfung sicher und erfolgreich bearbeiten. Es ist aber trotzdem möglich, dass du manchmal einen anderen Weg besser findest. Hier in der dritten Phase kannst du herausfinden, ob du Schritte hinzufügen oder überspringen möchtest. Außerdem kannst du deine individuelle Arbeitszeit überprüfen.

Im Leseverstehen kannst du auch deine individuelle Arbeitszeit überprüfen. Lege dazu eine Uhr neben den Prüfungstest und miss genau die Zeit, die du benötigst, um jeden Prüfungsteil zu bearbeiten. Beginne erst mit der Messung, wenn du mit dem Test anfängst. Zu Beginn jedes Prüfungsteils ist die vorgeschlagene Zeit angegeben.

In jedem Prüfungsteil kannst du so vorgehen:

Lies noch einmal die Arbeitsschritte zu diesem Prüfungsteil durch.

Du findest sie noch einmal vor jedem Prüfungsteil. Wenn du nicht mehr sicher bist, kannst du auch im Basistraining nachlesen, was bei jedem Arbeitsschritt zu tun ist.

Bearbeite den Prüfungsteil wie in der richtigen Prüfung.

Versuche, die vorgegebenen Arbeitsschritte einzuhalten.

Ermittle deine individuelle Arbeitszeit.

Zu Beginn jedes Prüfungsteils ist die vorgeschlagene Zeit angegeben. Um deine individuelle Arbeitszeit zu messen, lege eine Uhr neben den Prüfungstest. Miss die Zeit, die du benötigst, um jeden Prüfungsteil zu bearbeiten. Beginne erst mit der Messung, wenn du mit dem Test anfängst. Neben den Texten und Aufgaben findest du zwei „Uhren". Dort kannst du Beginn und Ende deiner Arbeitszeit eintragen. Überprüfe, ob du mehr oder weniger Zeit benötigst als vorgeschlagen. Überlege, woran das liegen kann.

Überprüfe deine Arbeitsschritte

Überdenke noch einmal die verschiedenen Arbeitsschritte. Wenn du irgendwo Probleme hattest, beschreibe in deinen Worten, was nicht geklappt hat und warum. – Lag es an der Anweisung oder brauchst du mehr Übung? Notiere, was du eventuell anders machen möchtest. Sprich darüber auch mit deinem Lehrer / deiner Lehrerin.

Vielleicht findest du einen Schritt überflüssig oder möchtest in einer anderen Reihenfolge vorgehen. Hier hast du die Möglichkeit, die Arbeitsschritte deiner Arbeitsweise und deinem Arbeitstempo anzupassen. Aber denke immer daran, dass die Vorschläge im Prüfungstrainer gut durchdacht sind. Wenn du etwas änderst, musst du sicher sein, dass das für dich wirklich der bessere Weg ist.

Ganz am Ende des Leseverstehens musst du noch die Lösungen in das Antwortblatt eintragen.

Leseverstehen Teil 1

Schritt 1: Schau dir kurz die Wortliste an.

Schritt 2: Lies den Textanfang mit dem Beispielwort.

- Beispielwort in der Wortliste durchstreichen.

Schritt 3: Finde zu jeder Lücke das passende Wort.

- Verwendete Wörter oder Buchstaben markieren.

Schritt 4: Überprüfe jede Lücke und jedes eingesetzte Wort.

- Alle Lücken füllen, keine Lücken leer lassen.

Schritt 5: Überprüfe deine Lösungen.

Schritt 6: Bestimme die richtige Überschrift.

- Wichtige Wörter in den Überschriften unterstreichen.
- Bei A, B und C immer „NUR/VOR ALLEM" ergänzen.

Vorgeschlagene Arbeitszeit: 10 Minuten

Beginn   :

Du findest unten einen kurzen Lesetext. Der Text hat vier Lücken (Aufgaben 1–4).
Setze aus der Wortliste (A–H) das richtige Wort in jede Lücke ein. Einige Wörter bleiben übrig.

Wortliste

> (A) warten – (B) Führerschein – (C) denken – (D) gerade –
>
> (E) ausprobieren – (F) fahren – (G) lange – (H) sparen – (Z) Unfall

Welches Wort passt in welche Lücke?
Schreibe den Buchstaben des Wortes in die Lücke.

Am Wochenende gab es in Hamburg einen ungewöhnlichen (0) __Z__. Ein junger Mann mit 17 Jahren

war mit dem Auto in der Stadt unterwegs. Eigentlich hat der Junge noch gar keinen (1) _B_. Trotz-

dem wollte er schon einmal (2) _E_, wie gut er Auto fahren kann. Dafür hatte er sich den Wagen

seines Vaters heimlich „ausgeliehen" und mit dem ist er in das Hafenbecken in Hamburg gefahren.

Dort ging sein Auto unter. Zum Glück konnte er sich (3) _D_ noch im letzten Moment aus dem

Auto retten und an Land schwimmen. Anschließend musste die Feuerwehr das Auto aus dem Wasser ziehen. Natürlich gibt es jetzt keinen Führerschein für den 17-Jährigen. Darauf muss er noch ein ganzes Jahr (4) ＿＿＿＿ . Und dann muss er erst noch die Führerscheinprüfung bestehen, bevor er endlich ein Auto fahren darf.

Achtung!
Wähle jetzt noch eine passende Überschrift zum Text aus!

Aufgabe 5: Welche Überschrift passt am besten zum Text? Kreuze an!

A ☐ Unfall nach Führerscheinprüfung

B ☐ Feuerwehr rettet 17-Jährigen vor dem Ertrinken

C ☒ Unfall im Hamburger Hafen

Ende ☐ .

Leseverstehen Teil 2

Schritt 1: Markiere die wichtigen Informationen in den Situationen.

• Die Schlüsselwörter sind meisten Nomen und Verben. Auch auf Negationen achten.
• Die Schüsselwörter unterstreichen. Wichtige andere Wörter einkreisen.

Schritt 2: Markiere die wichtigen Informationen in Text A.

Schritt 3: Finde die passende Situation zu Text A.

Schritt 4: Bearbeite die folgenden Texte wie in Schritt 2 und 3.

• Erst den Text lesen, dann die passende Situation suchen.
• Zugeordnete Texte und Texte ohne passende Situation durchstreichen.
• Auf Ähnlichkeiten und auf Unterschiede achten.
• Achtung: Wörtliche Übereinstimmungen können eine Falle sein.

Schritt 5: Überprüfe alle Lösungen.

Vorgeschlagene Arbeitszeit: 15 Minuten

Auf der nächsten Seite findest du acht kurze E-Mails von Schülern und ein Beispiel.

Beginn [·]

Lies die Aufgaben (6 – 9) und die E-Mails (A – H).

Wer hat die E-Mail geschrieben?

Schreibe den richtigen Buchstaben (A – H) in die rechte Spalte.

Du kannst jeden Buchstaben nur einmal wählen.
Vier Buchstaben bleiben übrig.

E-Mails von Schülern

Aufgaben 6 – 9

0	**Beispiel:** Anja hat endlich den Führerschein, obwohl sie in der Prüfung nicht ganz sicher war.	Z
6	Sarah hat Probleme mit anderen Schülern, weil sie neu an der Schule ist.	B
7	Robert möchte gerne ins Kino gehen, weil er nicht wieder am Computer spielen will.	G
8	Manuel hat ein Problem, weil er in der letzten Deutschstunde nicht aufgepasst hat.	C
9	Hannah weiß nicht, wie sie etwas im Internet verkaufen kann.	E

Z	Endlich habe ich es geschafft. Ab sofort darf ich selbst Auto fahren. Ich habe die Prüfung bestanden. Einmal habe ich beinahe ein Stopp-Schild übersehen. Aber der Prüfer war super nett und ich musste nicht einmal einparken. Bis morgen!
A	Lieb…, hast du den Deutschaufsatz schon geschrieben? Ich nicht. Mir fällt zu dem Thema überhaupt nichts ein. Erörterungen sind immer ein Problem für mich. Manchmal verstehe ich einfach nicht, was der Lehrer will. Hoffentlich machen wir bald wieder Gedichte.
B	Hallo, Tony, die erste Woche war schlimm. Ich komme an der neuen Schule nicht klar. Die Mädchen sind nicht besonders nett. Die Jungen schauen mich gar nicht an oder lachen nur. Niemand spricht mit mir. Was soll ich machen? Ich liebe dich …
C	Hallo, Eike, hast du in der letzten Deutschstunde Notizen gemacht? Ich soll alles schriftlich zusammenfassen. Weißt du noch, was im Unterricht gesagt wurde? Ich war so müde. Bitte hilf mir! Das Protokoll muss übermorgen fertig sein und ich weiß nicht, was ich schreiben soll. Gruß …
D	Lieb…, ich habe gestern „Pina" auf DVD im Internet gekauft. Eigentlich gehe ich ja lieber ins Kino, aber den Film muss ich mir unbedingt noch einmal anschauen. Komm doch zu mir. Dann machen wir uns einen schönen Filmabend zu Hause. Tschau …
E	Hi, …, meine Eltern haben mir einen neuen Laptop gekauft. Jetzt würde ich gerne den alten verkaufen. Weißt du, wie das online funktioniert? Bis jetzt habe ich im Internet immer nur eingekauft. – Oder komm doch vorbei. Dann machen wir das zusammen. Servus …
F	Hallo, …, mich ärgert, wie Uschi und Simone die Neue behandeln. Wenn Sabine etwas sagt, hören sie nicht zu und im Unterricht lachen sie bei jedem Fehler. Im Hof stoßen sie Sabine herum oder rufen ihr böse Sachen nach. Was meinst du? Bitte melde dich!
G	Hallo, …, nicht schon wieder „Warcraft" spielen! Ich habe echt keine Lust. Das machen wir doch jeden Tag. Es gibt ein paar super Filme im Kino. Wir könnten uns um 6 Uhr vor dem Filmpalast treffen. Das wäre mir lieber. Ruf bitte zurück!
H	Hallo, …, hast du schon mal Eintrittskarten im Internet gekauft? Ich will mit Claudia in das nächste „Bonzen"-Konzert. Weißt du, wie das funktioniert? Ich habe keine Ahnung – und natürlich keine Kreditkarte. Geht das auch ohne? Lass mal bitte von dir hören.

Ende ☐

Leseverstehen Teil 3

Schritt 1: Verschaffe dir einen ersten Eindruck vom Text.

- Nur Anfang und Ende des Textes lesen. Das spart Zeit.

Schritt 2: Markiere die wichtigen Informationen in den Aufgaben.

Schritt 3: Finde die passende Textstelle zu jeder Aufgabe.

- Wörtliche Übereinstimmungen zwischen Aufgabe und Text können eine Falle sein.
- Die passenden Textstellen und die Aussagen stehen immer in derselben Reihenfolge.
- Nach jeder Aussage im Text dort weiterlesen, wo du aufgehört hast.
- Zu jedem Abschnitt gibt es immer eine Aussage oder keine.

Schritt 4: Kontrolliere die Lösungen.

Zu jedem Abschnitt gibt es immer eine Aussage oder keine.

Vorgeschlagene Arbeitszeit: 10 Minuten

Beginn [.   ]

Lies den Text und die Aufgaben (10–14).

Kreuze bei jeder Aufgabe „richtig" oder „falsch" an.

Wale in der Weser

Vielleicht haben einige von euch schon mal im Urlaub Wale oder Delfine gesehen. Leider sind sie vom Aussterben bedroht, obwohl sie bei den Menschen sehr beliebt sind. Da helfen auch die großen Schau-Aquarien nicht, in denen die Tiere ihre Kunststücke vorführen.

Mit viel Glück kann man die seltenen Tiere sogar in Deutschland sehen, zum Beispiel in der Weser, einem Fluss, der in die Nordsee fließt. Forscher sind den seltenen Tieren jetzt auf der Spur. Die Wale, die in der Weser und in der Nordsee leben, heißen Schweinswale.

Die Tiere sehen so ähnlich aus wie Delfine, nicht wie Schweine, auch wenn sie so heißen. Im Frühjahr schwimmen einige von ihnen in die Weser, weil sie Hunger haben. Wenn sie dort Fische jagen, stoßen sie Laute aus, die für den Menschen zu hoch sind.

Mit speziellen Unterwasser-Mikrofonen kann man diese Geräusche aber aufnehmen und so bearbeiten, dass auch Menschen sie hören können. Forscher und Naturschützer haben zwei dieser Mikrofone jetzt in die Weser gehängt. In drei Monaten werden die Aufnahmen im Labor untersucht, dann weiß man hoffentlich mehr über die Wale in der Weser.

Manche der Mini-Wale schwimmen bis nach Bremen. Ihre Flossen auf dem Rücken sind so klein, dass man sie nur schwer von Wellen unterscheiden kann. Wenn man sie bei einem Spaziergang sehen möchte, braucht man sehr viel Glück und eine ganz glatte Wasseroberfläche.

Aufgaben 10–14

		richtig	falsch
10	In den Aquarien werden Wale und Delfine vor dem Aussterben bewahrt.		X
11	Die Wale in der Nordsee und in der Weser sehen aus wie Schweine.		X
12	Bei der Jagd nach Fischen machen sie hohe Geräusche.	X	
13	Mit besonderen Mikrofonen können Menschen die Wale hören.	X	
14	Bei ruhigem Wasser kann man die Wale leicht beobachten.		X

Ende

Leseverstehen Teil 4

Schritt 1: Verschaffe dir einen ersten Eindruck vom Text.

Schritt 2: Markiere die wichtigen Informationen in den Satzanfängen der Aufgaben.

- In Schritt 2 nur auf die Satzanfänge konzentrieren.
- Der Satzanfang reicht, die passende Textstelle zu finden.

Schritt 3: Finde die passenden Textstellen zu den Aufgaben 15–19.

- Nummer der Aufgabe neben die passende Textstelle schreiben.
- Aufgaben und Textstellen erscheinen immer in derselben Reihenfolge.
- Bei Unsicherheit Fragezeichen neben die Nummer der Aufgabe schreiben.

Schritt 4: Bestimme die richtige Aussage in den Aufgaben 15 bis 19.

- Satzanfang und Aussage (A, B oder C) immer nacheinander mit der Textstelle vergleichen.

Schritt 5: Bestimme die richtige Aussage oder Überschrift in Aufgabe 20.

Schritt 6: Kontrolliere die Lösungen.

- Mache immer ein Kreuz. Vielleicht hast du Glück.

Vorgeschlagene Arbeitszeit: 20 Minuten

Lies den Text und die Aufgaben 15 – 20.

Beginn [:]

Kreuze bei jeder Aufgabe die richtige Lösung an.

In den letzten Wochen haben Schülerinnen und Schüler oft miteinander und mit den Lehrerinnen und Lehrern darüber diskutiert, ob unsere Schule, das Goethe-Gymnasium in Steinfurt, an dem internationalen Projekt „Schule ohne Rassismus (SOR)" teilnehmen soll. Bei SOR geht es darum, dass Schülerinnen und Schüler aktiv etwas gegen alle Formen von Diskriminierung machen wollen.

Damit eine Schule an dem Projekt teilnehmen kann, müssen Unterschriften von mindestens 70 Prozent aller Schüler, Lehrer und anderer Mitarbeiter der Schule gesammelt werden. Erst dann darf die Schule offiziell ein Schild mit der Aufschrift „Schule gegen Rassismus" aufstellen.

Wir finden den Aufruf, etwas gegen Diskriminierung zu machen, sehr positiv. Deswegen hat unsere Schule beschlossen, sich an dem Projekt „Schule ohne Rassismus" zu beteiligen. Nun sind die Unterschriften zwar schnell gesammelt und das schöne Schild ist schnell aufgebaut. Aber das reicht natürlich nicht. Wichtiger als der Name des Projekts ist für uns vor allem, was tatsächlich auf dem Schulhof und in den Klassenzimmern passiert.

Rassismus ist die schlimmste Form von Diskriminierung. Leider ist das Thema immer aktuell. An vielen Schulen kann man rassistisch motivierte Gewalt gegen Mitschüler beobachten. Deshalb sind wir froh darüber, dass das Thema „Rassismus" an unserer Schule nie eine Rolle gespielt hat. Schüler und Lehrer haben gemeinsam erreicht, dass unser Gymnasium tolerant und weltoffen ist. Und das soll so bleiben.

Zwei Beispiele möchte ich dafür nennen: erstens das Comenius-Projekt, das Herr Meinradt leitet. In diesem Projekt werden Partnerschaften mit Schulen in anderen europäischen Ländern, z.B. in Spanien, Italien und Dänemark, vermittelt. Und zweitens gibt es den internationalen Schüleraustausch mit Israel, der von Frau Paska organisiert und betreut wird.

Im Sommer 2011 verbrachten unsere Schüler mit Frau Paska eine Woche in Israel, anschließend waren die israelischen Schüler eine Woche bei uns zu Gast. Austauschschüler in den Alltag der Schule zu integrieren, ist Aufgabe von Schülern und Lehrern. Sie macht allen Freude, denn der Kontakt mit anderen Sprachen und Kulturen ist abwechslungsreich und interessant.

Wir freuen uns sehr, dass die Schülerinnen und Schüler wie auch die Lehrerinnen und Lehrer unserer Schule so offen und engagiert sind!

Aufgaben 15 – 20

15 SOR ist ein Projekt,

A ☐ an dem alle Schulen in Steinfurt teilnehmen.

B ☐ das Schüler vor der Diskriminierung durch Lehrer schützt.

C ☒ in dem Schüler etwas gegen Rassismus tun können.

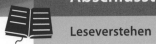

16 Es ist wichtig, dass

    A ☐ der Name des Projekts allen bekannt ist.

    B ☒ in der Schule wirklich etwas für das Projekt getan wird.

    C ☐ die Unterschriften für das Projekt schnell eingesammelt werden.

17 Die Schüler sind stolz darauf, dass

    A ☒ es an ihrer Schule keinen Rassismus gibt.

    B ☐ rassistische Gewalt an Schulen keine Rolle spielt.

    C ☐ Rassismus an Gymnasien ein aktuelles Thema ist.

18 Am Goethe-Gymnasium

    A ☒ werden Partnerschaften mit Schulen in ganz Deutschland organisiert.

    B ☐ gibt es Austauschprogramme mit der ganzen Welt.

    C ☒ gab es einen Schüleraustausch mit Israel.

19 Die Integration von Austauschschülern

    A ☒ ist eine schwierige Aufgabe für Frau Paska

    B ☐ ist das Ziel des Projekts „Schule gegen Rassismus".

    C ☒ macht Schülern und Lehrern am Goethe-Gymnasium viel Spaß.

---

20 Der Autor / die Autorin möchte zeigen, wie

    A ☐ wichtig internationale Austauschprogramme für die Schule sind.

    B ☒ engagiert die Schüler und Lehrer beim Thema „Diskriminierung" sind.

    C ☐ die Lehrer das Projekt „Schule gegen Rassismus" organisieren.

Ende

Leseverstehen Teil 5

Schritt 1: Schau dir den Beispieltext und die Überschrift Z an.

Schritt 2: Markiere die wichtigen Informationen im ersten Text.

* Nicht alle Texte auf einmal lesen.

Schritt 3: Finde eine passende Überschrift für den ersten Text.

* Verwendete Überschriften durchstreichen.
* Meistens gibt es zwei oder mehr ähnliche Überschriften.

Schritt 4: Bearbeite die folgenden Texte wie in Schritt 2 und 3 beschrieben.

Schritt 5: Kontrolliere deine Lösungen.

Vorgeschlagene Arbeitszeit: 5 Minuten

Beginn :

Lies die Texte 21–24 und die Überschriften A–H. Was passt zusammen?

Schreibe den richtigen Buchstaben (A–H) in die rechte Spalte.

Du kannst jeden Buchstaben nur einmal wählen. Vier Buchstaben bleiben übrig.

Naturphänomene

0	Jeder weiß es: Brieftauben finden immer den Weg nach Hause. Wenn aber ein Nasenloch verschlossen ist, funktioniert das nicht mehr so gut. Dann kann es passieren, dass sich die Tauben verfliegen. Für sie ist die Nase eine Art Navigationssystem. Sie können sehr gut riechen und erinnern sich genau, was sie wo gerochen haben. In ihrem Kopf haben sie dann eine Landkarte mit Düften. Wenn aber ein Nasenloch verstopft ist, verlieren sie die Orientierung.	**Z**
21	Für die meisten Tiere auf der Erde und für den Menschen bringt der Klimawandel Probleme mit sich. Bei den Murmeltieren ist das anders. Sie könnten durch den Klimawandel sogar gewinnen, vor allem, wenn sie in Nordamerika leben. Durch den Anstieg der Temperaturen beginnt der Sommer dort früher und die Murmeltiere wachen dadurch eher aus ihrem Winterschlaf auf. Sie haben nun viel mehr Zeit, sich fortzupflanzen – das heißt, es gibt mehr Murmeltiere.	

22	Wer hat sich nicht schon gefragt, wo jetzt die Vögel sind, die letztes Jahr hier ihr Nest gebaut haben? Wie finden sie aus Afrika zurück zu unseren Häusern, ohne sich zu verirren? Wie können Wale im Meer über Tausende Kilometer die Stellen im Meer finden, wo sie ihre Jungen zur Welt bringen wollen? Warum weiß eine Brieftaube plötzlich, dass sie zu Hause ist? Ganz ohne Landkarte und Navigationsgerät wandern diese Tiere riesige Strecken und kommen meist genau da an, wo sie hinwollen.	*E*
23	Trotz Klimaerwärmung ist das Eis in der Antarktis noch immer sehr dick und Blauwale scheinen sich im eisigen Wasser sehr wohlzufühlen. Das haben Wissenschaftler herausgefunden. Mit speziellen Mikrofonen haben sie Töne und Geräusche unter dem Eis aufgenommen. Neben dem Gesang der sanften Riesen konnten die Forscher auch die Laute von Seeleoparden und Robben hören. Die lautesten Geräusche machen allerdings nicht die Tiere unter Wasser, sondern riesige Eisbrocken. Wenn die zusammenstoßen, dann macht das richtig Lärm.	*A*
24	Vor allem die Buckelwale sind tolle Sänger. Sie haben die längsten Lieder des gesamten Tierreichs. Ihre Lieder können über eine Stunde dauern und bestehen aus festen Melodien. Wenn so ein Riese seinen Gesang unterbrechen muss, dann macht er später genau an dieser Stelle weiter. Jeder Wal singt ein bisschen anders, aber zu einer bestimmten Jahreszeit singen sie alle dieselbe Melodie. Nach einiger Zeit lassen die Wale Teile weg oder fügen etwas Neues hinzu.	*C*

Überschriften A–H

Z	Probleme bei verstopfter Nase
A	Geräusche in der Antarktis
B	Navigation durch Gesang
C	Der Gesang der sanften Riesen
D	Winterschlaf bereitet Probleme
E	Unglaubliche Leistung
F	Blauwale im Eismeer
G	Positive Folgen der Klimaerwärmung
H	Vögel fliegen der Nase nach

Ende : :

Auswertung des Leseverstehens

Notiere alle Zeiten aus *Leseverstehen* 1–5 und errechne deine Gesamtzeit für den Prüfungsteil *Leseverstehen*. Es sollten insgesamt nicht mehr als 60 Minuten sein.

	meine Zeit	vorgeschlagene Zeit
Teil 1		10 Minuten
Teil 2		15 Minuten
Teil 3		10 Minuten
Teil 4		20 Minuten
Teil 5		5 Minuten

Markiere die Teile, in denen du besonders viel Zeit gebraucht hast. Überlege und notiere, warum das so ist. Bearbeite diese Teile eventuell noch einmal im Basistraining.

Übertrage deine Lösungen aus dem ganzen Leseverstehen in das Antwortblatt auf der nächsten Seite.

Wie du schon weißt, hast du 10 Minuten Zeit, um alle Lösungen aus dem Prüfungsteil *Leseverstehen* in das Antwortblatt einzutragen. Das ist völlig ausreichend, wenn deine Lösungen im Prüfungsteil ordentlich eingetragen und gut leserlich sind. Vor allem dort, wo du Buchstaben oder Ziffern in deinen Lösungen verwendet hast, ist es wichtig, dass alles so deutlich geschrieben ist, dass du beim Übertragen keine Fehler machst.

Während du im Prüfungsbogen manchmal die Antworten ankreuzen und manchmal einen Buchstaben eintragen musst, darfst du hier im Antwortbogen nur Kreuze machen. Für jede Antwort darfst du nur ein Kreuz machen, wenn du mehr Kreuze machst, gilt die Antwort als falsch, auch wenn du etwas Richtiges angekreuzt hast!

Und noch eins: Es ist ganz wichtig, dass du wirklich ein gut leserliches Kreuz machst: keinen Punkt, keinen Haken, keinen Kreis. Nein, ein Kreuz. Und wenn du einmal an der falschen Stelle ein Kreuz gemacht hast, dann bitte nicht wild durchstreichen, sondern das ganz Feld komplett schwarz oder blau ausfüllen und im richtigen Feld dein Kreuz machen.

Wie es richtig geht, siehst du ganz oben auf dem Antwortblatt auf der nächsten Seite.

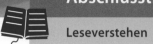

Antwortblatt Leseverstehen

Beginn ⬚ : ⬚

Du hast **10 Minuten Zeit**, um deine Lösungen auf das Antwortblatt zu übertragen.

Markiere mit schwarzem oder blauem Schreiber:

so: ☒   so nicht: ⊡ ⬚ ✓

Wenn du eine Markierung korrigieren möchtest, fülle das falsch markierte Feld ganz aus: ◼

und markiere anschließend das richtige Feld so: ☒

Teil 1

	A	B	C	D	E	F	G	H
1	☐	☐	☐	☐	☐	☐	☐	☐
2	☐	☐	☐	☐	☐	☐	☐	☐
3	☐	☐	☐	☐	☐	☐	☐	☐
4	☐	☐	☐	☐	☐	☐	☐	☐
5	☐	☐	☐					

Teil 2: E-Mails

	A	B	C	D	E	F	G	H
6	☐	☐	☐	☐	☐	☐	☐	☐
7	☐	☐	☐	☐	☐	☐	☐	☐
8	☐	☐	☐	☐	☐	☐	☐	☐
9	☐	☐	☐	☐	☐	☐	☐	☐

Teil 3: Wale in der Weser

	richtig	falsch
10	☐	☐
11	☐	☐
12	☐	☐
13	☐	☐
14	☐	☐

Teil 4

	A	B	C
15	☐	☐	☐
16	☐	☐	☐
17	☐	☐	☐
18	☐	☐	☐
19	☐	☐	☐
20	☐	☐	☐

Teil 5: Naturphänomene

	A	B	C	D	E	F	G	H
21	☐	☐	☐	☐	☐	☐	☐	☐
22	☐	☐	☐	☐	☐	☐	☐	☐
23	☐	☐	☐	☐	☐	☐	☐	☐
24	☐	☐	☐	☐	☐	☐	☐	☐

Ende ⬚ : ⬚

Hörverstehen: Abschlusstraining

Wie du schon weißt, sind im Hörverstehen die Arbeitsschritte durch die CD exakt vorgegeben und du kannst sie nicht an deine Arbeitsweise anpassen. Du kannst aber herausfinden, welche Schritte dir Schwierigkeiten bereiten und sie dann eventuell im Basistraining noch einmal bearbeiten.

In jedem Prüfungsteil kannst du so vorgehen:

Lies noch einmal die Arbeitsschritte und Memos zu diesem Prüfungsteil durch.

Du findest sie vor jedem Prüfungsteil. Wenn du nicht mehr sicher bist, kannst du auch im Basistraining nachlesen, was du bei jedem Arbeitsschritt tun musst.

Bearbeite den Prüfungsteil wie in der richtigen Prüfung.

Versuche, die vorgegebenen Arbeitsschritte einzuhalten.

Überprüfe die Arbeitsschritte.

Überdenke nach jedem Prüfungsteil noch einmal die verschiedenen Arbeitsschritte. Wo hattest du Schwierigkeiten? Wo war die Zeit knapp? Was hast du vielleicht falsch gemacht? Notiere, was du vielleicht noch nicht verstanden hast. Sprich darüber auch mit deinem Lehrer.

Ganz am Ende des Hörverstehens musst du noch die Lösungen aus dem Hörverstehen in das Antwortblatt eintragen.

Hörverstehen Teil 1

Schritt 1: Höre und lies die Einleitung.

Schritt 2: Sieh die Bilder zu jeder Szene an und finde die wichtigen Informationen.

• Die Bilder genau anschauen, bevor der Hörtext beginnt.

Schritt 3: Höre den Text zu jeder Szene und erkenne das Thema.

Schritt 4: Kreuze das passende Bild nach dem ersten Hören an.

Schritt 5: Überprüfe deine Lösungen beim zweiten Hören.

Teil 1: Unterwegs

 Du hörst gleich fünf Szenen. Sie beschreiben, was man auf Reisen alles erleben kann. Zu jeder Szene gibt es drei Bilder.

Welches Bild passt?

Kreuze beim Hören zu jeder Szene das richtige Bild (A oder B oder C) an.

Danach hörst du die Szenen noch einmal.

Szene 1
Sieh dir zuerst die Bilder an. Du hast dafür sechs Sekunden Zeit.

A ☐   B ☐   C ☐

Szene 2

Sieh dir zuerst die Bilder an. Du hast dafür sechs Sekunden Zeit.

A ☐

B ☐

C ☐

Szene 3

Sieh dir zuerst die Bilder an. Du hast dafür sechs Sekunden Zeit.

A ☐

B ☐

C ☐

Szene 4

Sieh dir zuerst die Bilder an. Du hast dafür sechs Sekunden Zeit.

A ☐

B ☐

C ☐

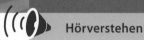
Szene 5

Sieh dir zuerst die Bilder an. Du hast dafür sechs Sekunden Zeit.

A ☐   B ☐   C ☐

Hörverstehen Teil 2

Schritt 1: Höre und lies die Einleitung.

Schritt 2: Markiere die wichtigen Informationen in den Aufgaben.

• Schlüsselwörter unterstreichen, andere wichtige Wörter einkreisen.

Schritt 3: Höre die Texte und erkenne die wichtigen Informationen.

• Schon beim ersten Hören eine Lösung ankreuzen.

Schritt 4: Löse die Aufgaben bei/nach dem ersten Hören.

Schritt 5: Überprüfe deine Lösungen beim zweiten Hören.

• Bei jeder Aufgabe eine Aussage ankreuzen und nicht mehr.

Teil 2: Reisen mit dem Flugzeug

 2 21-26 Wenn man am Flughafen ist, gibt es viele Durchsagen.

Du hörst gleich vier Durchsagen.

Lies zuerst die Aufgaben 6 – 9. Du hast dafür 60 Sekunden Zeit.

Höre nun die Durchsagen. Löse die Aufgaben beim Hören.

Kreuze bei jeder Aufgabe die richtige Lösung (A oder B oder C) an.

Danach hörst du die Durchsagen noch einmal.

Aufgaben 6 – 9

6 Der Lufthansa-Flug 969

A ☐ wird heute auf Flugsteig 12 abgefertigt.

B ☐ wird pünktlich in etwa 15 Minuten starten.

C ☐ kann wegen des schlechten Wetters heute nicht starten.

7 Die Fluggäste

A ☐ können jetzt alle elektronischen Geräte anschalten.

B ☐ dürfen ihre Handys erst nach der Landung benutzen.

C ☐ werden vom Bodenpersonal in der Ankunftshalle empfangen.

8 Das Flugzeug nach Hamburg

A ☐ wird pünktlich abfliegen.

B ☐ muss noch auf einige Passagiere warten.

C ☐ wird mit Verspätung in Hamburg ankommen.

9 Beim Einsteigen

A ☐ werden Passagiere der 1. Klasse nach Zone 5 aufgerufen.

B ☐ dürfen alleinreisende Kinder zuerst einsteigen.

C ☐ müssen alle Passiere ihre Bordkarte bereithalten.

Hörverstehen Teil 3

Schritt 1: Höre und lies die Einleitung.

Schritt 2: Markiere die wichtigen Informationen in den Aufgaben.

• Schlüsselwörter unterstreichen, andere wichtige Wörter einkreisen.

Schritt 3: Mache aus jeder Aussage eine Frage.

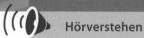
Schritt 4: Höre den Text und löse die Aufgaben bei/nach dem ersten Hören.

- Die Reihenfolge der Aufgaben und der Inhalte im Text stimmt immer überein.
- Schon beim ersten Hören immer ein Kreuz machen.

Schritt 5: Überprüfe deine Lösungen beim zweiten Hören.

Teil 3: Interview mit Marcel

 2 27-30 Marcel kommt oft in die „Arche". Das ist eine soziale Einrichtung für Kinder und Jugendliche. Du hörst gleich ein Interview mit ihm im Radio.

Lies zuerst die Sätze 10–14. Du hast dafür eine Minute Zeit.

Höre nun das Interview. Löse die Aufgaben beim Hören.

Kreuze bei jeder Aufgabe (10–14) an: *richtig* oder *falsch*.

Danach hörst du das Interview noch einmal.

Aufgabe 10–14

		richtig	falsch
10	Die „Arche" ist ein Treffpunkt für junge Menschen.		
11	Marcel geht jeden Nachmittag zum Essen in die „Arche".		
12	Marcel arbeitet als Aushilfe in einem Supermarkt.		
13	Marcel hat sich für die Ausbildung zum KfZ-Mechaniker beworben.		
14	Bernd ist wie ein Vater für Marcel.		

Hörverstehen Teil 4

Schritt 1: Höre und lies die Einleitung.

Schritt 2: Markiere alle wichtigen Informationen in den Aufgaben und erkenne das Thema.

Schritt 3: Höre die Texte und löse die Aufgaben beim ersten Hören.

- Schon beim ersten Hören bei jeder Aufgabe ein Kreuz machen.

Schritt 4: Überprüfe deine Lösungen beim zweiten Hören.

- Bei jeder Aufgabe eine Aussage (und nicht mehr) ankreuzen.

Teil 4: Mein Jahr in Irland

2 *31-33* Du hörst eine Reportage im Schülerradio. Janina berichtet über ihren Aufenthalt in Irland.

Lies zuerst die Aufgaben 15 – 20. Du hast dafür eine Minute Zeit.

Höre dann den Erfahrungsbericht. Löse die Aufgaben beim Hören.

Kreuze bei jeder Aufgabe die richtige Lösung (A oder B oder C) an.

Danach hörst du den Erfahrungsbericht noch einmal.

Aufgaben 15 – 20

15 Am Anfang hat Janina

    A ☐ Probleme mit ihrem Englisch gehabt.

    B ☐ viel für sich selbst dazugelernt.

    C ☐ Sprache und Kultur Englands kennengelernt.

16 Janina hat gefallen, dass

    A ☐ sie mit Gleichaltrigen zusammengelebt hat.

    B ☐ sie in einer richtigen Familie gelebt hat.

    C ☐ sie keine Verantwortung übernehmen musste.

17 An der Schule von Janina

    A ☐ gab es Jungen und Mädchen.

    B ☐ musste sie eine Schuluniform tragen.

    C ☐ begann der Unterricht sehr früh.

18 Janina und ihre Mitbewohner

    A ☐ sprachen alle sehr gut Englisch.

    B ☐ lernten in kurzer Zeit Englisch.

    C ☐ konnten sich ohne Englisch verständigen.

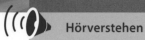
19 Janina ist aufgefallen, dass

A ☐ die Iren sich gerne in Pubs treffen.

B ☐ viele Autofahrer keinen Führerschein haben.

C ☐ die Menschen in großen Städten leben.

20 Janina meint, dass man

A ☐ Mut braucht, um nach Irland zu reisen.

B ☐ in Irland so ähnlich lebt wie in Deutschland.

C ☐ die typisch irischen Sportarten anschauen sollte.

Hörverstehen Teil 5

Schritt 1: Höre und lies den ersten Teil der Einleitung.

Schritt 2: Markiere die wichtigen Informationen in den Aufgaben.

* Wichtige Wörter einkreisen.

Schritt 3: Höre und lies den zweiten Teil der Einleitung.

Schritt 4: Höre die Texte und ordne jeder Aufgabe einen Text zu.

* Aussagen und Hörtexte stehen <u>nicht</u> in derselben Reihenfolge.
* Im *Hörverstehen Teil 5* hörst du die Texte nur einmal.
* Zugeordnete Aussagen vorsichtig durchstreichen.
* Nach jedem Hörtext immer sofort einen Buchstaben in die Lösungstabelle eintragen.
* Du hast nur eine Chance, nutze sie!

Teil 5: Erfahrungen in der Theatergruppe

 34-39 Das Schülerradio hat die Mitglieder der Theatergruppe befragt. Du hörst gleich fünf kurze Berichte von Schülern.

Lies zuerst die Liste mit den verschiedenen Aussagen (A–H). Du hast dafür 30 Sekunden Zeit.

Notiere beim Hören zu jedem Bericht den richtigen Buchstaben (A–H).

Vier Buchstaben bleiben übrig.

Achtung! Du hörst die Berichte **einmal**. Zuerst hörst du ein Beispiel.
Dieser Bericht hat die Nummer 0.
Die Lösung ist Z.

Jetzt hörst du die anderen Berichte.

Z	Theater ist besser als Unterricht.
A	Lampenfieber gehört dazu.
B	Die Texte sind kein Problem für mich.
C	Im Theater lernt man, im Team zu arbeiten.
D	Das Improvisieren auf der Bühne ist eine Kunst.
E	Am schönsten ist der Applaus am Ende.
F	Auf der Bühne vergesse ich alles andere.
G	Die richtige Beleuchtung ist ganz wichtig.
H	Ohne Computer geht gar nichts.

Aufgabe	Buchstabe
0	Z
21	
22	
23	
24	

Nach dem *Hörverstehen* hast du zehn Minuten Zeit, um alle Lösungen aus dem Prüfungsteil *Hörverstehen* in das Antwortblatt einzutragen. Das Antwortblatt findest du auf der nächsten Seite. Achte darauf, die richtigen Antworten mit einem einfachen Kreuz ☒ zu markieren.

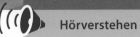
Antwortblatt Hörverstehen

Beginn [:]

_____   _____
Name   Vorname

Du hast **10 Minuten Zeit**, um deine Lösungen auf das Antwortblatt zu übertragen.

Markiere mit **schwarzem** oder **blauem** Schreiber:

so: ☒   so nicht: ☐• ☐✗ ☐✓

Wenn du eine Markierung korrigieren möchtest, fülle das falsch markierte Feld ganz aus: ■

und markiere anschließend das richtige Feld so: ☒

Teil 1: Unterwegs

	A	B	C
1	☐	☐	☐
2	☐	☐	☐
3	☐	☐	☐
4	☐	☐	☐
5	☐	☐	☐

Teil 2: Reisen mit dem Flugzeug

	A	B	C
6	☐	☐	☐
7	☐	☐	☐
8	☐	☐	☐
9	☐	☐	☐

Teil 3: Interview mit Marcel

	richtig	falsch
10	☐	☐
11	☐	☐
12	☐	☐
13	☐	☐
14	☐	☐

Teil 4: Mein Jahr in Irland

	A	B	C
15	☐	☐	☐
16	☐	☐	☐
17	☐	☐	☐
18	☐	☐	☐
19	☐	☐	☐
20	☐	☐	☐

Teil 5: Erfahrungen in der Theatergruppe

	A	B	C	D	E	F	G	H
21	☐	☐	☐	☐	☐	☐	☐	☐
22	☐	☐	☐	☐	☐	☐	☐	☐
23	☐	☐	☐	☐	☐	☐	☐	☐
24	☐	☐	☐	☐	☐	☐	☐	☐

Ende [:]

Schriftliche Kommunikation: Abschlusstraining

In der dritten Phase deines Trainings wirst du den Prüfungsteil *Schriftliche Kommunikation* noch einmal üben und dabei die Schritte so anpassen, dass sie für dich optimal geeignet sind.

In den beiden ersten Schritten geht es um die Vorbereitung auf diesen Prüfungsteil in den Monaten vor der Prüfung.

Schritt 1: Mach dir Gedanken zu wichtigen Themen.

- Rechtzeitig über die Themen im Sprachdiplom nachdenken.
- Rechtzeitig eine eigene Meinung zu möglichen Themen bilden.
- Mit den „Sternchenthemen" im Internet arbeiten.

Schritt 2: Arbeite an deinem Wortschatz.

- Wortschatz systematisch vergrößern und üben.
- Mit Wörterheft oder Wortschatzkartei arbeiten und Wortschatz regelmäßig wiederholen.

Inzwischen ist ja schon einige Zeit vergangen, seitdem du mit dem Basistraining zur *Schriftlichen Kommunikation* begonnen hast. Stell dir folgende Fragen und beantworte sie möglichst genau:

- Was habe ich seit dem Basistraining für die Verbesserung meines Wortschatzes getan?
- Was hat das bisher gebracht?
- Wie viel Zeit habe ich noch bis zur Prüfung?

Notiere, was du beim Wortschatztraining anders/besser machen kannst. Ein guter Wortschatz ist für alle Prüfungsteile wichtig – nicht nur für die *Schriftliche Kommunikation*.

Jetzt geht es um deine Arbeitsweise in der richtigen Prüfung. Bearbeite die Aufgabe wie in einer richtigen Prüfung und achte auch auf die Zeit. Unten findest du zur Erinnerung die Arbeitsschritte. Lege eine Uhr neben den Test, bearbeite die Aufgaben, wie in den Schritten beschrieben. Trage die Zeit in die kleinen Uhren ein und mach dir Notizen.

Schritt 3: Lies die Aufgabenstellung genau durch.

Beginn [:]

- Thema unterstreichen.
- Die vier Aussagen erst später lesen.
- Die wichtigen Begriffe in den Aufgaben unterstreichen.

Schritt 4: Markiere die wichtigen Informationen in den vier Aussagen.

- Schlüsselwörter markieren, andere wichtige Wörter einkreisen.
- Bei jeder Person notieren: dafür, dagegen, nicht sicher, egal.

Schritt 5: Sammle eigene Beobachtungen zum Thema.

- Frage zu den eigenen Beobachtungen genau lesen.
- Alles notieren, was wichtig ist oder sein könnte.
- Auch notieren, was du über die anderen Meinungen denkst und warum.

Schritt 6: Sammle Argumente für deine Meinung.

- Eigene Meinung notieren: dafür, dagegen, nicht sicher, egal.
- Argumente für eigene Meinung suchen und notieren.
- Beobachtungen aus Schritt 5 eventuell wiederholen.

Zwischenzeit: [. .]

Schritt 7: Plane den Aufbau deines Beitrags für die Schülerzeitung.

Zwischenzeit: [. .]

- Entscheiden: Aufgaben nacheinander oder gleichzeitig bearbeiten.

Schritt 8: Formuliere den Anfang deines Beitrags für die Schülerzeitung.

- Leserbrief **oder** Artikel schreiben.
- Im Leserbrief Anrede verwenden.
- Zu einem Artikel passende Überschrift finden.
- Gleich am Anfang Thema und Quelle nennen.

Schritt 9: Gib die vier Meinungen in deinen Worten wieder.

- Ähnliche Meinungen einander zuordnen.
- Ähnliche Meinungen direkt nacheinander wiedergeben.
- In den Wiedergaben strukturierende Formulierungen benutzen.
- Die Wiedergaben genau mit den Originaltexten vergleichen.

Schritt 10: Berichte über deine eigenen Beobachtungen.

- Sachlich über konkrete Beobachtungen, Beispiele und Fakten berichten.

Schritt 11: Formuliere deine eigene Meinung und begründe sie.

- Strukturierende Formulierungen nicht vergessen.
- Die eigene Meinung mit bekannten Beispielen veranschaulichen.
- Die eigene Meinung einfach formulieren.
- Am Ende einen abschließenden Satz formulieren.
- Bei Leserbrief zum Schluss einen Gruß verwenden.
- Bei Artikel zum Schluss Name und Klasse angeben.

Zwischenzeit: [. .]

Schritt 12: Überprüfe den gesamten Aufsatz.

Zwischenzeit: [. .]

Den ganzen Text mit der Checkliste vergleichen.

- – Mein Leserbrief enthält eine passende Anrede. / Mein Artikel hat eine passende Überschrift.
- – Zu Beginn des Leserbriefs / des Artikels habe ich Thema und Quelle genannt.
- – Der Text ist zusammenhängend und flüssig zu lesen.

- Ich habe die Meinungen der anderen korrekt und in eigenen Worten wiedergegeben.
- Meine Meinung kann der Leser / die Leserin leicht verstehen.
- Ich habe genau über meine Beobachtungen und Erfahrungen berichtet.
- Ich habe meine Meinung gut begründet.
- Die Beispiele sind anschaulich.
- Die strukturierenden Formulierungen passen gut.
- Ich habe einen abschließenden Satz formuliert.
- Am Ende meines Leserbriefs steht ein Gruß.
- Am Ende meines Artikels stehen mein Name und meine Klasse.
- Der Wortschatz passt gut.
- Der Satzbau ist richtig, es gibt unterschiedliche Satzarten, auch Nebensätze.
- Die Endungen sind (meistens) richtig.
- Die Rechtschreibung ist (meistens) richtig.

Ende	: :

Schriftliche Kommunikation

Aufgabe

Thema: Einführung einer Laptop-Klasse

In einem Internetforum wird die Einführung einer Laptop-Klasse diskutiert. Dort findest du folgende Aussagen:

Murat: Wenn jeder im Unterricht mit einem Laptop arbeiten kann, dann ist der Unterricht viel interessanter. Wir können dann alle Informationsquellen nutzen.

Thomas: Ich kann mir nicht vorstellen, dass die Schule so viel Geld hat, dass jeder einen richtig guten Laptop bekommt. Und wenn die Laptops nicht gut sind, macht das Arbeiten keinen Spaß.

Saskia: Ich bin dafür, die Texte im Lehrbuch genau zu lesen. Da findest du gleich die wichtigen Informationen. Im Internet findet man zu viel. Und niemand weiß genau, was richtig ist.

Eleni: Also, ich finde, dass so ein Laptop nur vom Unterricht ablenkt. Außerdem dauert es zu lange, bis man die richtigen Informationen im Internet gefunden hat.

Schreibe einen **Beitrag für die Schülerzeitung** deiner Schule.

Bearbeite in deinem Beitrag die folgenden drei Punkte:

- Gib alle vier Aussagen aus dem Internetforum **mit eigenen Worten** wieder.
- Wie ist das an deiner Schule / in deinem Land? Gibt es bei euch Laptop-Klassen? Berichte **ausführlich**.
- Was hältst du von der Einrichtung von Laptop-Klassen? Begründe deine Meinung **ausführlich**.

Du hast insgesamt 75 Minuten Zeit.

Du brauchst die Wörter **nicht** zu zählen!

Zum Abschluss solltest du deinen Text jemandem geben, der gut Deutsch spricht, und ihn/sie bitten, den Text für dich zu korrigieren. Gib ihm/ihr dazu die Checkliste auf Seite 164/165.

Wenn alles gut gelaufen ist, dann musst du an deiner Arbeitsweise nichts ändern und kannst beruhigt in die Prüfung gehen.

Wenn es nicht so gut gegangen ist, dann solltest du noch einmal das Basistraining und das Powertraining zur *Schriftlichen Kommunikation* durcharbeiten und dabei deine Notizen zu den Schritten berücksichtigen.

Das einleitende Gespräch: Abschlusstraining

Im Basistraining und im Powertraining hast du dich auf die mündliche Prüfung vorbereitet. Hier im Abschlusstraining kannst du das einleitende Gespräch üben wie in einer richtigen Prüfung. Das funktioniert immer nach demselben Modell:

Höre zuerst den Prüfer / die Prüferin. Halte die CD an.

Gib dann deine Antwort und nimm sie auf.

Höre danach deine Antwort an. Wenn sie dir nicht gefällt, nimm sie noch einmal auf.

Überlege bei deinen Antworten nicht zu lange. Du sollst möglichst so antworten wie in einer richtigen Prüfung. Der schnelle Wechsel von CD-Player zu Smartphone etc. erfordert etwas Übung.

Die Begrüßung in der Prüfung macht meistens dein Lehrer oder deine Lehrerin. Manchmal beginnt aber auch der/die Prüfungsvorsitzende. In den Übungen 1 und 2 kannst du beides einmal ausprobieren.

Übung 1

2 40 **Höre die Begrüßung durch die Vorsitzende und stelle dich selbst vor.**

Übung 2

2 41 **Höre die Begrüßung durch den Lehrer und stelle dich selbst vor.**

Nach der kurzen Begrüßung und Vorstellung geht es weiter mit dem einleitenden Gespräch.

Übung 3

2 42 **Höre die erste Frage, nimm deine Antwort auf und beantworte die folgenden Fragen.**

Habe ich meine Aussagen begründet?	☐ ja	☐ nein
Ist meine Antwort langweilig?	☐ ja	☐ nein
Warum? Warum nicht? Notiere.		
Sind meine Beispiele anschaulich?	☐ ja	☐ nein

Nimm deine Antwort noch einmal auf und achte auf deine Notizen.

Wie du weißt, wird der Prüfer / die Prüferin dir meistens vier Fragen stellen. Eine hast du schon beantwortet. In der folgenden Übung geht es um die drei weiteren Fragen.

Übung 4

 a **Höre nacheinander die folgenden drei Fragen des Prüfers und reagiere wie in einer richtigen Prüfung.**

b **Höre deine Antwort zu jeder Frage und beantworte die folgenden Fragen.**

Habe ich meine Aussagen begründet? ☐ ja ☐ nein

Ist meine Antwort langweilig? Warum? Warum nicht? Notiere.

Sind meine Beispiele anschaulich? ☐ ja ☐ nein

Gibt es vielleicht bessere/anschaulichere Beispiel? Notiere.

Nimm jede Antwort noch einmal auf, wenn das nötig ist. Achte dabei auf deine Notizen.

Übung 5

 Bearbeite nacheinander zwei Beispiele für das gesamte einleitende Gespräch. Höre und antworte wie in den vorangegangenen Beispielen.

Referat und abschließendes Gespräch: Abschlusstraining

In diesem Teil wirst du ein vollständiges Referat vorbereiten. Du kannst das Referat bereits so ausarbeiten, dass du es in der richtigen Prüfung verwenden kannst.

Im Basistraining hast du gelernt, wie das Thema in Arbeitsschritten vorbereitet werden kann.

Schritt 1: Wähle ein Thema aus.

- Das Thema soll aus deinen Lebens- und Erfahrungsbereich stammen.
- Themen, die mit Deutschland zu tun haben, sind bei den Prüfern sehr beliebt.
- Möglichst ein Thema wählen, das einen interkulturellen Bezug zu Deutschland erlaubt.
- Sogenannte einfache Themen sind manchmal ganz schön schwierig.

Mein Thema für das Sprachdiplom: _____

Schritt 2: Finde geeignete Quellen.

- Sobald das Thema steht mit der Recherche beginnen.

Meine Quellen: _____

_____

_____

Schritt 3: Erarbeite das Thema und mache eine Stoffsammlung.

Trage das Thema ein und ergänze passende W-Frage.

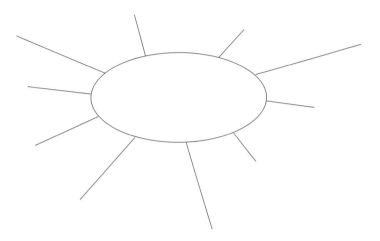

Schritt 4: Ordne das Material und erstelle eine Gliederung.

- Thema
- Begründung für das Thema
- Handlung/Vorgang/Ereignis/Information
- Bewertung
- Veranschaulichung/Beispiel(e)
- Bezug zu Deutschland
- Interkultureller Vergleich
- Empfehlung

Schritt 5: Wähle akustische und/oder visuelle Materialien aus.

Prüfe, wie viel Zeit du für die Präsentation des Materials benötigst. Entscheide dann, an welcher Stelle in deinem Referat du das Material präsentieren willst. Notiere das in deiner Gliederung.

Denke daran: Auch in einer Powerpoint-Präsentation geht es vor allem um den Inhalt, nicht um die Effekte.

Kläre mit deinem Lehrer / deiner Lehrerin die technischen Möglichkeiten deiner Präsentation.

Schritt 6: Formuliere den Text.

Wenn du Formulierungshilfe brauchst, schau im Powertraining nach (Seite 100).

Schritt 7: Notiere Stichworte für die Präsentation.

Wenn du neue Wörter verwendest, stelle sicher, dass du sie auch richtig aussprechen kannst!

Schritt 8: Mach eine „Generalprobe".

Gib deinen Zuhörern diese Checkliste und überprüfe deine Zeit.

		Beginn	. .

Wortschatz stimmt	☐ ja	☐ nein	
Fachwörter richtig	☐ ja	☐ nein	
Genügend Informationen und Fakten	☐ ja	☐ nein	
Eigene Meinung deutlich herausgearbeitet	☐ ja	☐ nein	
Eigene Meinung gut begründet	☐ ja	☐ nein	
Fakten/Informationen bewertet	☐ ja	☐ nein	
Bewertung begründet	☐ ja	☐ nein	
Eigene Erfahrungen beschrieben	☐ ja	☐ nein	
Medien sinnvoll eingesetzt	☐ ja	☐ nein	

		Ende	. .

Schritt 9: Bereite dich auf mögliche Fragen vor.

Stell dir selbst die Frage: Warum habe ich dieses Referatsthema gewählt? Beantworte die Frage schriftlich und dann mündlich.

Überlege, welche anderen Fragen der Prüfer / die Prüferin stellen könnte, um einen Bezug zu Deutschland herzustellen.

Denke darüber nach, wo du in deinem Referat einen Sachverhalt vielleicht nicht so genau begründet hast oder wo vielleicht noch ein Beispiel fehlt. Notiere dazu mögliche Fragen des Prüfers / der Prüferin.

Im einführenden Gespräch der mündlichen Prüfung orientieren sich die Prüfenden an dem folgenden Fragenkatalog:

1   Was machst du mit deinen Freunden am liebsten? Warum?

2   Welche berühmte Person möchtest du gern kennenlernen? Erzähle von ihr!

3   Wohin würdest du gerne in Urlaub fahren? Warum?

4   Welchen Beruf möchtest du später lernen?

5   Wie hast du deinen letzten Geburtstag gefeiert? Erzähle!

6   Was machst du normalerweise am Wochenende? Erzähle!

7   Erzähle mir über deinen besten Freund / deine beste Freundin!

8   Hast du ein Haustier? Erzähle mir darüber!

9   Dein Lieblingsfach ist _____ . Warum?

10 Deine Lieblingsserie ist _____ . Worum geht es? Was passiert?

11 Du spielst gerne das Computerspiel _____ . Wie geht das Spiel? Erzähle!

12 Welches Projekt an unserer Schule hat dir besonders gut gefallen? Erzähle!

13 Wie sieht für dich ein idealer Freizeitpark aus?

14 Beschreibe deinen Traumberuf!

15 Was machst du alles am Computer?

16 Welche Internetseiten besuchst du? Was interessiert dich da?

17 Hast du einen Lieblingsfilm? Worum geht es da?

18 Wie feiert ihr in deiner Familie _____ ?

19 Hast du ein Lieblingsbuch? Worum geht es da? / Erzähle von der Hauptperson!

20 Du warst in den Ferien in _____ . Erzähle von der Reise!

21 Welche Tipps kannst du Freunden geben, die eine Deutschprüfung machen?

22 Was willst du nach der _____ten Klasse machen?

23 Wie verbringst du den letzten Tag des Jahres?

24 Wo möchtest du am liebsten leben? In der Stadt, auf dem Land, am Meer …? Warum?

25 Du kannst für einen Tag Arzt/Ärztin, Politiker/in oder Astronaut/in sein. Begründe deine Wahl!

26 Du arbeitest seit Längerem bei dem Projekt _____ mit. Was sind deine Aufgaben?

27 Stell dir vor, du hast eine Reise nach _____ gewonnen. Was machst du da?

28 Ich möchte in meinem Haus Energie sparen. Kannst du mir dazu ein paar Tipps geben?

29 Beschreibe, wie dein Zimmer aussieht!

30 Wie sieht für dich ein ganz normaler Schultag aus?

31 Beschreibe einen schönen Tag in deinem Leben.

32 Du bist Fan vom Sportverein/Fußballverein _____. Warum?

33 Hast du Schwestern oder Brüder? Wie alt sind sie? Was machen sie? Erzähle von ihnen!

34 Stell dir vor, du darfst dir – wie im Märchen – etwas wünschen. Was wünschst du dir dann? Warum?

35 Hilfst du im Haushalt? Warum (nicht)?

36 Hast du schon einmal einen Ferienjob/Nebenjob gehabt? Erzähle!

37 Was machst du in deiner Freizeit? Erzähle!

38 Du trägst gerne Kleidung der Marke _____. Warum findest du die gut?

39 Du interessierst dich sehr für _____. Warum?

40 Wie heißt deine Lieblingsband? Erzähle etwas über sie!

41 Dein bester Freund / Deine beste Freundin ist _____. Was magst du an ihr/ihm?

42 Beschreibe einen typischen freien Tag von dir!

43 Im _____ (Monat) war das letzte Schulfest. Was konnte man da alles machen?

44 Du spielst _____ (Musikinstrument). Wie hast du das gelernt?

45 Du magst gerne _____ (Tierart). Was gefällt dir an denen so gut?

46 Was war dein schönster Ausflug? Erzähle!

47 Erzähle von deinen Großeltern! Wie leben sie?

48 Wo gehst du gerne feiern? Warum dort? Und mit wem?

Schriftliche Kommunikation

Schreibblatt

_____

Familienname, Vorname

Seite: 1

	5
	10
	15
	20

SK, A2/B1

Schriftliche Kommunikation

Schreibblatt

_____

Familienname, Vorname

Seite: 2

	25
	30
	35
	40

SK, A2/B1

Inhalt der Audio-CD

CD 1

CD 2